SEGURIDAD

En la clase

- Lee las instrucciones varias veces antes de empezar.

- Presta atención a tu maestro o maestra.

- Ten cuidado cuando veas esto: .

- Lávate las manos con agua y jabón antes y después de una actividad.

- Ponte gafas protectoras o guantes cuando te lo digan.

- Ponte gafas protectoras cuando trabajas con líquidos o cosas que te puedan lastimar los ojos.

- Ponte ropa usada.

- Ten cuidado con los vidrios y los objetos filosos.

- No pruebes ni huelas nada a menos que tu maestro o maestra te lo diga.

- Avisa enseguida si hay derrames o accidentes.

- Ordena tu lugar de trabajo.

- Limpia cuando hayas terminado.

Fuera de la clase

- Escucha a tu maestro o maestra.

- No te alejes del grupo.

- No pruebes ni huelas nada a menos que tu maestro o maestra te lo diga.

- No toques las plantas ni los animales a menos que tu maestro o maestra te lo diga.

- Vuelve a poner las plantas y los animales donde los encontraste.

- Si hay un accidente, avisa enseguida.

McGRAW-HILL
CIENCIAS

EDICIÓN MACMILLAN/McGRAW-HILL

RICHARD MOYER ■ LUCY DANIEL ■ JAY HACKETT

PRENTICE BAPTISTE ■ PAMELA STRYKER ■ JOANNE VASQUEZ

NATIONAL
GEOGRAPHIC
SOCIETY

McGraw-Hill
School Division

New York   Farmington

EDICIÓN PARA Texas

PROGRAM AUTHORS

Dr. Lucy H. Daniel
Teacher, Consultant
Rutherford County Schools,
North Carolina

Dr. Jay Hackett
Emeritus Professor of Earth
Sciences
University of Northern
Colorado

Dr. Richard H. Moyer
Professor of Science
Education
University of Michigan-
Dearborn

Dr. H. Prentice Baptiste
Professor of Curriculum and
Instruction
New Mexico State
University

Pamela Stryker, M.Ed.
Elementary Educator and
Science Consultant
Eanes Independent School
District
Austin, Texas

JoAnne Vasquez, M.Ed.
Elementary Science
Education Specialist
Mesa Public Schools,
Arizona
NSTA President 1996–1997

 NATIONAL
GEOGRAPHIC
SOCIETY

Washington, D.C.

CONTRIBUTING AUTHORS

Dr. Thomas Custer
Dr. James Flood
Dr. Diane Lapp
Doug Llewellyn
Dorothy Reid
Dr. Donald M. Silver

CONSULTANTS

Dr. Danny J. Ballard
Dr. Carol Baskin
Dr. Bonnie Buratti
Dr. Suellen Cabe
Dr. Shawn Carlson
Dr. Thomas A. Davies
Dr. Marie DiBerardino
Dr. R. E. Duhrkopf
Dr. Ed Geary
Dr. Susan C. Giarratano-Russell
Dr. Karen Kwitter
Dr. Donna Lloyd-Kolkin
Ericka Lochner, RN
Donna Harrell Lubcker
Dr. Dennis L. Nelson
Dr. Fred S. Sack
Dr. Martin VanDyke
Dr. E. Peter Volpe
Dr. Josephine Davis Wallace
Dr. Joe Yelderman

McGraw-Hill School Division
A Division of The McGraw·Hill Companies

CONTENIDO

UNIDAD 1

EL ÁRBOL

UNIDAD 2

EL CIELO

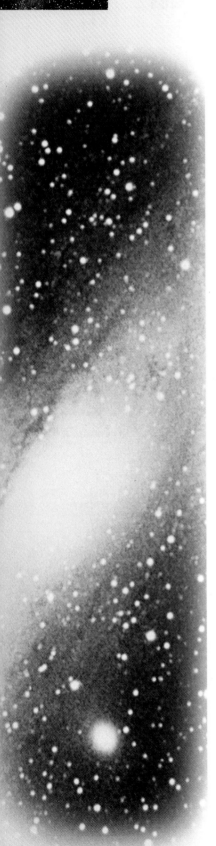

UNIDAD 3 · MATERIA Y MÁS MATERIA

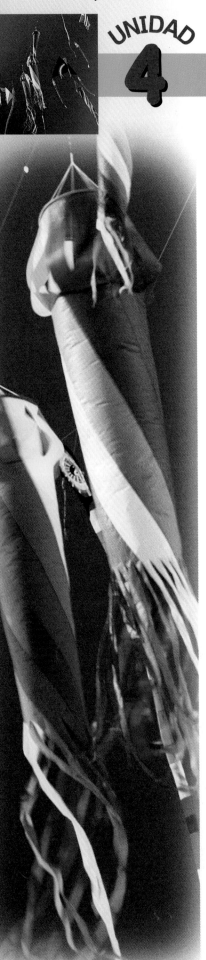

UNIDAD 4 ¡EN MOVIMIENTO!

UNIDAD 5
EL ESTANQUE

UNIDAD 6

EL CUERPO HUMANO: ¿CÓMO ERES?

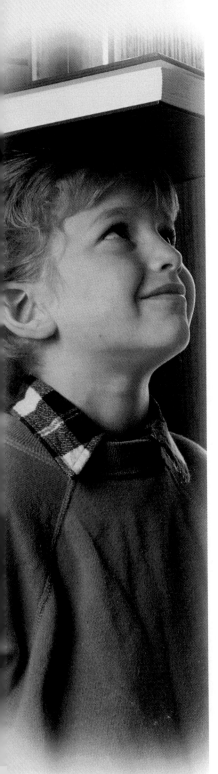

SECCIÓN DE REFERENCIA

ILUSTRADORES

La vida en el estanque

ACTIVIDADES

LEER TABLAS Y OBSERVAR ILUSTRACIONES

CURIOSAMENTE Y CAJAS DE SOLUCIONES

NATIONAL GEOGRAPHIC CURIOSAMENTE

UN VISTAZO al libro

Comienza cada tema con la sección **Investiga**. Luego haz una **Actividad de exploración**.

Conexión con Geografía

Una parte de la lluvia penetra en la tierra.
A veces excavamos pozos para...

Historia de la Ciencia

En 1969, Estados Unidos envió la nave Apolo XI a la Luna. En la nave viajaban tres astronautas. Dos de ellos caminaron por la Luna. El otro se quedó en la nave volando alrededor de la Luna. Luego todos regresaron a la Tierra. Otra nave Apolo alunizó más tarde en la Luna. Los astronautas tomaron fotos y recogieron piedras. Así aprendimos mucho sobre la Luna.

COMENTA
1. ¿Cuándo un ser humano pisó la Luna por primera vez?
2. ¿Por qué es difícil ir a la Luna?

NATIONAL GEOGRAPHIC — El Mundo DE LAS CIENCIAS

REVISTA DE CIENCIAS

Paseo lunar

214

92

Tema 6 CIENCIAS FÍSICAS

¿Por qué es importante?

...or cambia ...lidos ...íquidos.

...abulario
...rse pasar
...o a líquido

93

La materia cambia

Mira el muñeco.
¿De qué está hecho?
¿Es un sólido?
¿Cómo lo sabes?

INVESTIGA
¿Qué le pasará al muñeco de nieve?

134

Lee las **Revistas de ciencias. El mundo de las ciencias** es la primera revista de cada unidad.

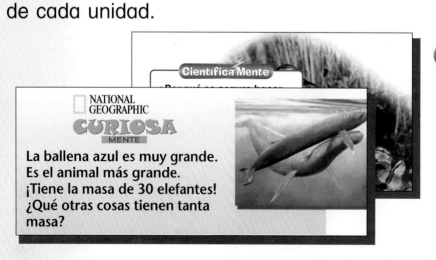

CientíficaMente

NATIONAL GEOGRAPHIC

CURIOSA MENTE

La ballena azul es muy grande. Es el animal más grande. ¡Tiene la masa de 30 elefantes! ¿Qué otras cosas tienen tanta masa?

Contesta las preguntas de **CuriosaMente** sobre hechos del mundo real.

ACTIVIDAD DE EXPLORACIÓN

¿Puede un sólido pasar a líquido?

El hielo es un sólido. ¿Qué le pasa
al hielo en un lugar cálido?
Escribe las respuestas en tu diario.

Necesitas

- **cubito
de hielo**
- **vaso**
- *Diario
científico*

¿Qué hacer?

1. Escribe tu nombre en el vaso.

2. Pon el cubito de hielo en el vaso.

3. Pon el vaso en un lugar cálido
o al sol.

4. **Observa** Espera 15 minutos.
¿Qué le pasa al cubito?

5. **Anota** Escribe en tu
diario qué sucede.

¿Qué descubriste?

1. ¿Qué le pasó al cubito
de hielo?

2. **Infiere** ¿Qué lo hizo
cambiar?

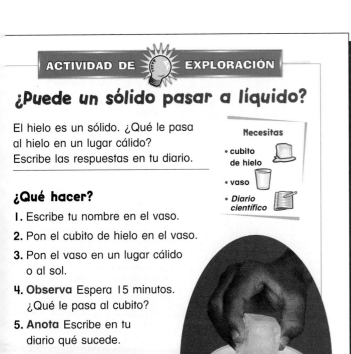

135

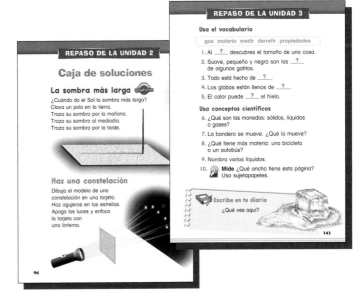

REPASO DE LA UNIDAD 2

Caja de soluciones

La sombra más larga

¿Cuándo da el Sol la sombra más larga?
Clava un palo en la tierra.
Traza su sombra por la mañana.
Traza su sombra al mediodía.
Traza su sombra por la tarde.

Haz una constelación

Dibuja el modelo de una
constelación en una tarjeta.
Haz agujeros en las estrellas.
Apaga las luces y enfoca
la tarjeta con
una linterna.

96

REPASO DE LA UNIDAD 3

Usa el vocabulario

gas materia medir derretir propiedades

1. Al __?__ descubres el tamaño de una cosa.
2. Suave, pequeño y negro son las __?__
de algunos gatitos.
3. Todo está hecho de __?__.
4. Los globos están llenos de __?__.
5. El calor puede __?__ el hielo.

Usa conceptos científicos

6. ¿Qué son las monedas: sólidos, líquidos
o gases?
7. La bandera se mueve. ¿Qué la mueve?
8. ¿Qué tiene más materia: una bicicleta
o un autobús?
9. Nombra varios líquidos.
10. **Mide** ¿Qué ancho tiene esta página?
Usa sujetapapeles.

Escribe en tu diario
¿Qué ves aquí?

143

▲ Resuelve los problemas
de la **Caja de soluciones**.
Escribe en tu *Diario
científico* lo que vayas
aprendiendo.

▼ Aumenta
tus
destrezas
con
**Destrezas
en acción**.
Usa el
Manual
para
ayudarte.

**¿En qué se parecen los
animales del estanque?**

Puedes clasificar los animales según
su número de patas. Clasificar significa
organizar las cosas por grupos.

¿Qué animales tienen cuatro patas?
¿Cuáles tienen seis? ¿Puedes clasificar
los animales de otra manera?

tejedor

mapache

tortuga

libélula

198

DESTREZAS EN ACCIÓN

Clasificar

Verás diferentes formas de clasificar
los animales del estanque.

Necesitas
- tarjetas
ilustradas
- *Diario
científico*

¿Qué hacer?

1. **Clasifica** Haz dos grupos
de tarjetas: "animales que viven
en el agua" y "animales que viven
en la tierra". Anota los grupos
en tu diario.
2. **Clasifica** Haz un nuevo grupo
con animales que vivan
en los dos lugares.
3. **Clasifica** Agrupa los animales
por la forma en que se mueven.
4. Busca otra forma de agruparlos.

¿Qué descubriste?

1. **Compara** ¿En qué
se parecen los animales?
¿En qué se diferencian?
2. ¿Cómo clasificaste
los animales?

199

Unidades de medida

La gente no acostumbra medir con sujetapapeles.
La gente usa centímetros (cm) o metros (m).
unidades de medida.

...n mide unos ocho centímetros de largo.
...mos así: 8 cm.

...de unos 4 centímetros de largo.
...así: 4 cm.

...lápiz de largo?
...gusano de largo?

MANUAL

R9

xiii

NATIONAL GEOGRAPHIC

INVITACIÓN A LAS CIENCIAS

Christina Allen

Esta científica tiene una casita en un árbol. Desde allí observa en silencio el ir y venir de los animales. Se llama Christina Allen. Estudia los animales de la selva tropical.

¡A Christina le gustan los animales! De niña ayudaba a los animales perdidos. Sus padres dejaban que se quedase con algunos.

En la selva tropical se han cortado muchos árboles. Los animales necesitan árboles para hacer sus hogares y alimentarse. Christina quiere aprender todo lo posible sobre los animales y las selvas tropicales. Así podrá explicar a la gente por qué debemos salvar las selvas tropicales.

En la selva tropical viven los monos ardilla.

Christina estudia un caracol gigante.

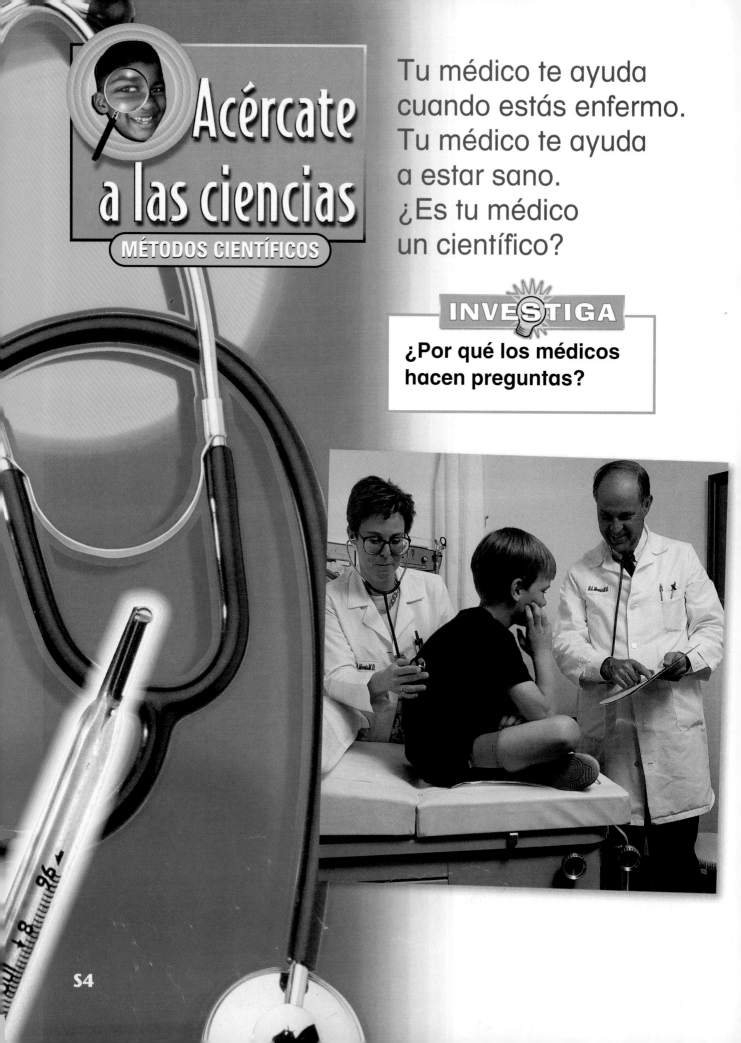

Acércate a las ciencias

MÉTODOS CIENTÍFICOS

Tu médico te ayuda cuando estás enfermo. Tu médico te ayuda a estar sano. ¿Es tu médico un científico?

INVESTIGA

¿Por qué los médicos hacen preguntas?

¿Qué puedes aprender sobre tu cuerpo?

En esta actividad vas a medir diferentes partes de tu cuerpo. Escribe las respuestas en tu diario.

Necesitas

- **cinta de medir**
- *Diario científico*

¿Qué hacer?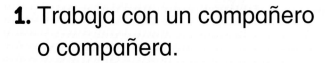

1. Trabaja con un compañero o compañera.

2. Mide Usa la cinta para medir tu altura. Escribe el número.

3. Mide Extiende tus brazos. Mide su largo con la cinta.

¿Qué descubriste?

1. ¿Quién es más alto, tú o tu pareja? ¿Quién tiene los brazos más largos?

2. ¿Qué es mayor, tu altura o el largo de tus brazos?

3. ¿Qué podría averiguar un médico al medirte?

¿Cómo trabajan los científicos?

En la *Actividad de exploración* hiciste algo que hacen los médicos.
Los médicos miden partes de tu cuerpo.

Miden tu altura.
Miden tu peso.
Miden tu temperatura.
Así pueden descubrir por qué
te sientes mal.

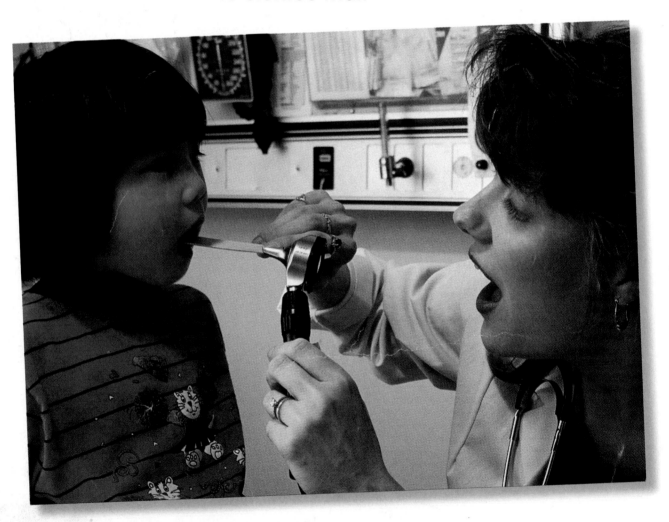

Los médicos son científicos que ayudan
a la gente a estar sana.
La Dra. Denege Ward trabaja en Michigan.
Su trabajo es curar a los enfermos.

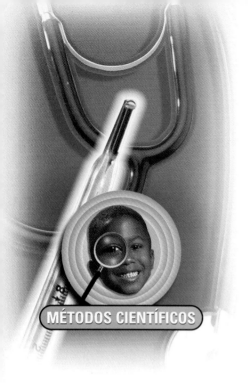

La Dra. Ward ve a sus pacientes
en el hospital.
Les hace preguntas.
Toma notas.

La Dra. Ward también ve a enfermos
en su consultorio.
Algunos pacientes son bebés.
Otros son personas mayores.
A veces visita a los enfermos que
no pueden ir a su consultorio.

¿Qué podría preguntar un médico
a su paciente?
¿Cómo ayuda un médico a su
paciente durante la consulta?

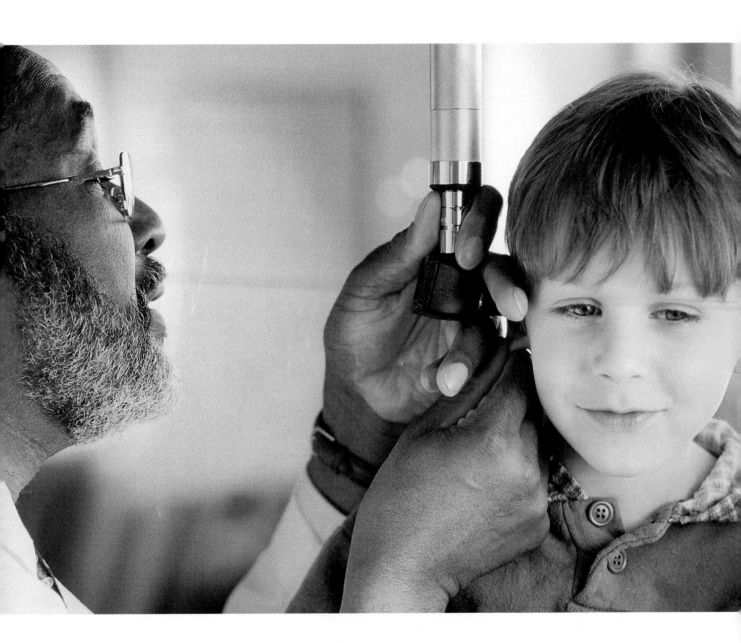

¿Cómo colaboran los científicos?

¿Qué haces si no estás seguro de algo? Pides ayuda.

¿Qué hacen los médicos? Cuando necesitan saber algo, preguntan a otros médicos.

A veces leen libros para encontrar respuestas.

Los médicos usan computadoras.
En la computadora escriben sobre
sus pacientes.
Usan la computadora para saber
por qué están enfermos.
La computadora los ayuda a cuidar
a sus pacientes.

MÉTODOS CIENTÍFICOS

¿Cómo comprueban las cosas los científicos?

Los médicos ayudan a los enfermos
de muchas maneras.
Hablan con ellos para saber
qué les pasa.
A veces les hacen pruebas
para saber más.
Usan muchos instrumentos
para hacer esas pruebas.

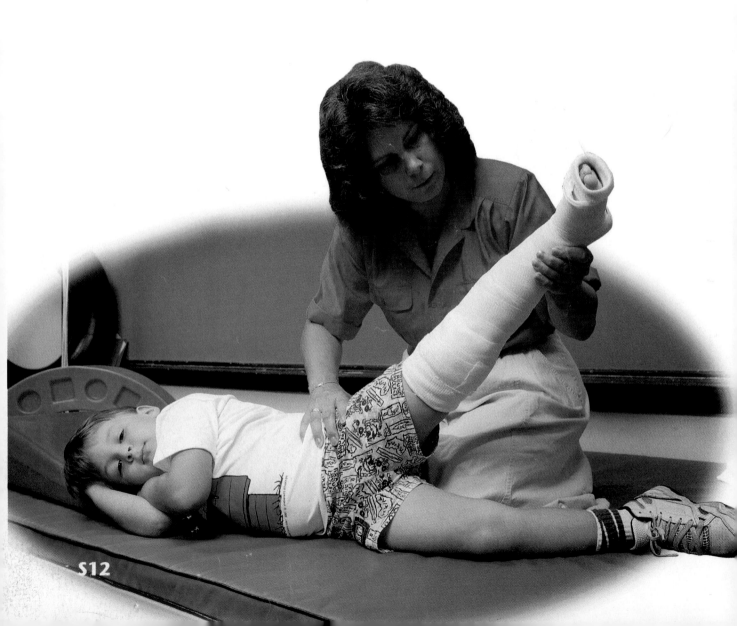

Un aparato fotografía tus huesos.

Los médicos usan las pruebas para saber cómo pueden ayudar a un enfermo.
El paciente puede necesitar medicinas para curarse.
A veces tiene que permanecer en un hospital.

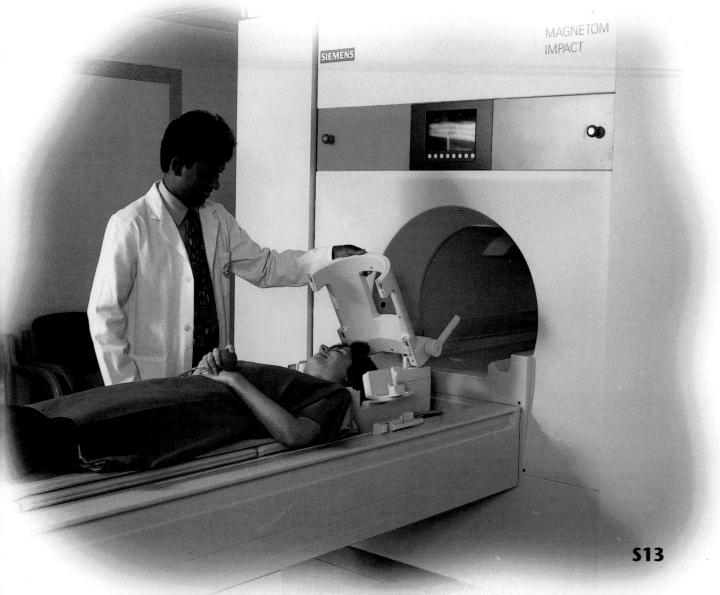

MÉTODOS CIENTÍFICOS

¿Cómo puedo parecerme a un científico?

Los científicos hacen preguntas. Observan a su alrededor.

Los médicos observan a sus pacientes y les hacen preguntas. Los médicos usan sus instrumentos para hallar respuestas.

¿Alguna vez hiciste preguntas sobre algo?
Ser científico significa buscar respuestas a preguntas.

En la *Actividad de exploración* había una pregunta.
Hiciste un plan para contestarla.
Mediste partes de tu cuerpo con una cinta de medir.
Descubriste cuál era más larga.
Escribiste la respuesta en tu diario.

¡Así trabajan los científicos!

Los médicos nos ayudan a estar sanos.
Cuando estamos sanos podemos
hacer las cosas que queremos.
Podemos estar con nuestra familia.
Podemos jugar con nuestros amigos.
Podemos ir a la escuela.
¡Podemos ser científicos!

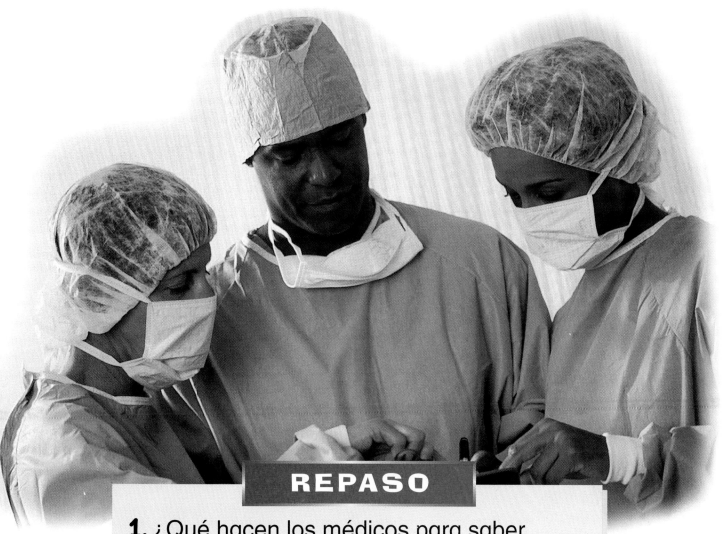

REPASO

1. ¿Qué hacen los médicos para saber por qué alguien está enfermo?

2. ¿Qué instrumentos emplean para saber por qué alguien está enfermo?

3. ¿Cómo averiguan cosas para ayudar a la gente?

MÉTODOS CIENTÍFICOS

Glosario
Acércate a las ciencias

C

causa y efecto una cosa que hace cambiar a otra cosa

clasificar poner cosas en grupos

comparar buscar parecidos y diferencias entre las cosas

comunicar hablar, escribir o dibujar

concluir formar una idea basada en lo que uno sabe

D

decidir escoger entre diferentes
cosas o ideas

E

explicar ayudar a alguien a entender
algo

I

identificar saber qué es o cómo
se llama algo

inferir usar lo que uno sabe para
comprender algo

M

medir averiguar el tamaño
o la cantidad de algo

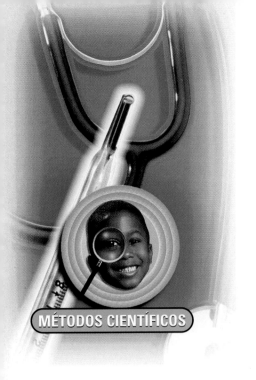

MÉTODOS CIENTÍFICOS

O

observar usar los sentidos para conocer algo

obtener información averiguar cosas sobre algo

P

planear decidir cómo se va a hacer algo

poner cosas en orden colocar las cosas de manera que sea fácil usarlas

predecir decir lo que pasará

preguntar hacer una pregunta sobre algo

U

usar los números expresar la cantidad de algo

Temas
de
Texas

Temas de
Texas
1

¿Por qué es importante?

El nogal nos da comida y sombra.

Vocabulario

semilla parte de la planta que contiene una nueva planta.

Un árbol para Texas

¿Comiste alguna vez nueces?
¿Probaste alguna vez el pastel de nuez?
Las nueces son deliciosas.
¿De dónde salen las nueces?

INVESTIGA

¿Qué parte del nogal es la nuez?

¿De dónde salen las nueces?

Las nueces salen del nogal.
Usamos los nogales para varias cosas:
jugar bajo su sombra o
hacer cosas con
su madera.
El nogal es el árbol del
estado de Texas.

NUECES DE TEXAS
TAMAÑO

¿Qué son las nueces?

Las nueces son las semillas del nogal.
La semilla es una parte de la planta.
En su interior hay una nueva planta.

Cuando los agricultores plantan nueces, crecen nuevos nogales.

La gente compra nueces para cocinar y comer.

I. ¿Cuántas nueces hay en este dibujo?

2. ¿En qué dibujo hay algo que no está hecho con madera de nogal?

Temas de **Texas** **2**

¿Por qué es importante?

¡Las tormentas eléctricas y los tornados pueden ser muy peligrosos!

Vocabulario

tormenta eléctrica fuerte lluvia con relámpagos, truenos y viento

tornado un remolino de viento fuerte

TX6

Tormentas en Texas

¿Saliste alguna vez bajo una tormenta de lluvia?

¿Viste alguna vez una tormenta eléctrica?

¿Eran distintas las dos tormentas?

INVESTIGA

¿En qué se diferencian las tormentas?

¿Qué es una tormenta eléctrica?

En Texas hay muchas tormentas eléctricas.
Una tormenta eléctrica es una fuerte lluvia con
relámpagos, truenos y viento.
Vemos un relámpago.
Oímos un trueno.
Hace mucho viento.

¿Qué es un tornado?

Las fuertes tormentas eléctricas pueden convertirse en tornados.

Un tornado es un remolino de viento fuerte.

¡Los tornados pueden arrasar casas enteras!

Texas es el estado donde hay más tornados.

Una vez, en Texas, se registraron 67 tornados en un día.

¿Has visto alguna vez un tornado?

Parque Cedar, Texas

I. ¿Qué dibujo representa una tormenta eléctrica?

2. ¿Qué dibujo muestra un tornado?

Temas de
Texas
3

¿Por qué es importante?

Podemos aprender cosas sobre el espacio en el Centro Espacial Johnson.

Vocabulario

astronauta persona que trabaja en el espacio

El Centro Espacial Johnson

¿Te gustaría vivir en el espacio?

¿Qué comerías allí?

¿Dónde dormirías?

Descúbrelo en el Centro Espacial Johnson.

¿En qué se diferencian la vida en el espacio y la vida en la Tierra?

¿Qué puedes hacer en el Centro Espacial Johnson?

El Centro Espacial Johnson está en Houston, Texas.

¡Allí puedes tocar una roca lunar!

Puedes ver por dentro un transbordador espacial y aprender cosas sobre los astronautas.

Un astronauta es una persona que trabaja en el espacio.

¿Qué aprenden los astronautas?

Los astronautas van al Centro Espacial Johnson.
Allí aprenden a vivir en el espacio.
En la Tierra, necesitamos comida y descanso.
En el espacio, los astronautas también necesitan comida y descanso.

⭐ PRÁCTICA PARA TAAS

I. ¿En qué figura hay algo que no encontrarías en el Centro Espacial Johnson?

2. ¿Cuántos astronautas hay en el dibujo?

Temas de
Texas
4

Un jardín bajo el agua

Los bancos *Flower Garden* son el hogar de muchos animales.

Vocabulario

coral diminuto animal marino que permanece en el mismo lugar durante toda su vida

arrecife lugar donde crecen los corales durante años

Los bancos *Flower Garden*

¿Viste alguna vez un jardín bajo el agua?

¿Viste alguna vez un jardín sin plantas?

¿Qué crece en los bancos *Flower Garden?*

INVESTIGA

¿Viste alguna vez un animal que parece una planta?

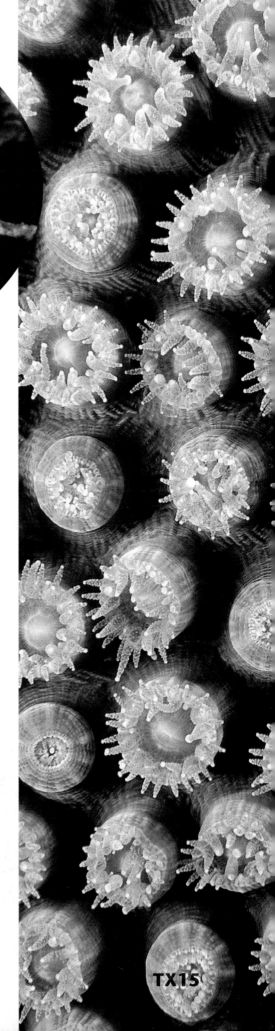

¿Qué aspecto tiene el coral?

Los bancos *Flower Garden* están hechos de coral.

El coral es un animal diminuto.

Permanece en el mismo sitio toda su vida.

Los corales son de distintos colores y parecen flores.

El coral crece en los arrecifes.

Los arrecifes son lugares donde los corales crecen juntos.

Un arrecife de coral tarda muchos años en formarse.

Muchos peces también viven en los arrecifes de coral.

PREPARACIÓN PARA LA PRUEBA TAAS

1. ¿Qué figura muestra un animal que no encontrarías en los bancos *Flower Garden*?

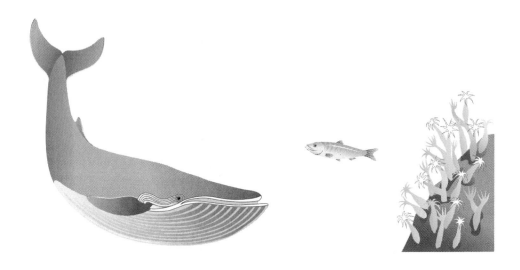

2. ¿Qué figura muestra un arrecife de coral?

CAPÍTULO 1

¿QUÉ ES UN ÁRBOL?

¿Por qué es importante?

Un árbol tiene muchas partes.

Vocabulario

hojas parte del árbol que produce su alimento

raíces parte del árbol que absorbe el agua de la tierra

observar usar los sentidos para aprender algo

tronco tallo del árbol

ramas parte del árbol que sostiene las hojas.

Las partes de un árbol

¿Hay árboles donde vives?

¿Se parecen al de esta foto?

¿En qué se parecen?

¿En qué se diferencian?

INVESTIGA

¿Alguna vez miraste una hoja de cerca?

¿Son iguales todas las hojas?

¿En qué se diferencian las hojas?

Vamos a mirar diferentes hojas.

Necesitas

- 2 hojas diferentes
- creyón
- papel
- *Diario científico*

¿Qué hacer?

1. Coloca una hoja debajo del papel.

2. Pasa el creyón sobre el papel.

3. Repite los pasos 1 y 2 con una hoja diferente.

¿Qué descubriste?

1. Describe la forma de cada hoja en tu *Diario científico*.

2. **Compara** Describe las líneas que atraviesan cada hoja.

¿Cuáles son las partes de un árbol?

¿Hay árboles donde vives?
Un árbol es una planta
que tiene muchas partes.

En la *Actividad de exploración* viste
que las hojas pueden
ser diferentes.
Las hojas son
una parte del árbol.
Las hojas producen
el alimento del árbol
con ayuda de la luz.

Roble

hojas

Las raíces son otra parte
del árbol.
Las raíces absorben el agua
de la tierra.
Las raíces crecen en la tierra
y sujetan el árbol al suelo.

NATIONAL
GEOGRAPHIC

CURIOSA
MENTE

MATEMÁTICAS
CONEXIÓN

Las raíces crecen
bajo la tierra.
Crecen, crecen y crecen.
¿Por qué crecen tanto?

raíces

¿En qué se diferencian estas plantas?

¿En qué se parecen estas plantas?

¿En qué se diferencian?

¿Qué partes ves en ellas?

Las plantas se pueden observar.

Observas cuando miras, tocas, saboreas, oyes o hueles para aprender algo.

Observar

En esta actividad vas a observar las diferentes partes de una planta. Escribe las respuestas en tu diario.

Necesitas

- planta
- lupa
- *Diario científico*

¿Qué hacer?

1. **Observa** Mira las partes de la planta con una lupa.

2. **Observa** Toca las partes de la planta.

   ▨ **¡TEN CUIDADO!**
   No comas la planta.

3. **Observa** Huele las partes de la planta.

4. Dibuja lo que observes.

   ▨ **¡TEN CUIDADO!**
   Lávate las manos.

¿Qué descubriste?

1. ¿Qué sentidos usaste para observar la planta?

2. Habla de las partes de la planta que observaste.

¿Qué otras partes tiene un árbol?

El tronco es otra parte del árbol.

El tronco es el tallo del árbol.

El tronco sostiene las ramas.

Las ramas crecen del tronco.

Las ramas sostienen las hojas.

ramas

tronco

Roble

¿Por qué es importante?

Un avión necesita todas
sus partes para volar.
Un árbol también
necesita todas sus partes.
Todas las partes
trabajan juntas para
que el árbol viva.

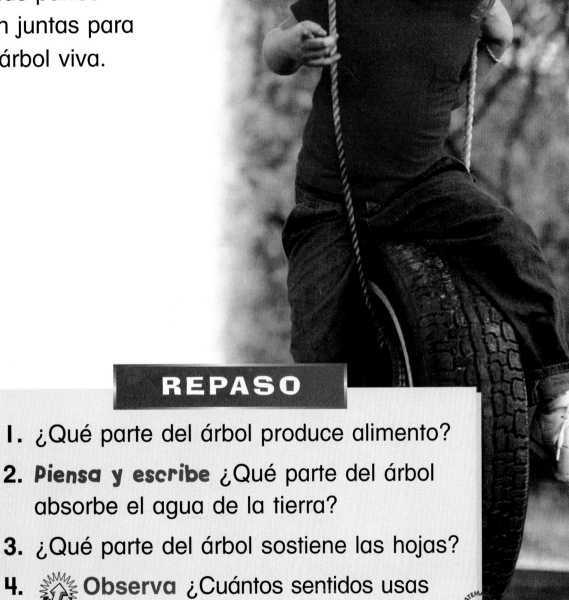

REPASO

1. ¿Qué parte del árbol produce alimento?

2. **Piensa y escribe** ¿Qué parte del árbol absorbe el agua de la tierra?

3. ¿Qué parte del árbol sostiene las hojas?

4. **Observa** ¿Cuántos sentidos usas para observar un árbol de verdad? **CONEXIÓN MATEMÁTICA**

5. **ARTE CONEXIÓN** Dibuja un árbol. Rotula sus partes.

9

Tema
CIENCIAS DE LA VIDA
2

¿Por qué es importante?

Los árboles necesitan agua, luz del sol y espacio para crecer.

Vocabulario

ser vivo el que crece y cambia

Las necesidades de los árboles

¿Qué necesitas para vivir y crecer?
¿Podrías vivir y crecer sin agua?

INVESTIGA

¿Por qué crees que las plantas necesitan agua?

¿Qué le pasa a una planta cuando no tiene agua?

En esta actividad observarás qué le pasa a una planta si no la riegas. Escribe las respuestas en tu diario.

Necesitas

- 2 plantas con rótulo: *con agua* y *sin agua*
- lupa
- *Diario científico*

¿Qué hacer?

1. **Observa** Usa la lupa para mirar la planta *con agua.*

2. Dibuja lo que observas. Haz una lista de palabras que describan lo que ves. Observa cómo cambia el color de las hojas.

3. Repite los pasos 1 y 2 con la planta *sin agua.*

¿Qué descubriste?

1. ¿Cómo se veía cada planta?

2. ¿Qué le pasa a una planta sin agua?

sin agua   con agua

11

¿Qué necesitan los árboles?

Los árboles son seres vivos.
Los seres vivos crecen y cambian.
Un ser vivo necesita agua y alimento.
En la *Actividad de exploración* viste
que una planta sin agua se seca.

¿De dónde obtienen el agua los árboles?
Cuando llueve, el agua penetra
en la tierra y las raíces la absorben.
Las raíces también absorben otras cosas
que ayudan a las plantas a vivir.
Las raíces absorben minerales de la tierra.
Los minerales ayudan a las plantas a crecer.

Los árboles también necesitan la luz del sol.
Las hojas producen el alimento del árbol
usando la luz del sol.
Este alimento ayuda al árbol a crecer.

Un árbol no puede vivir sin agua
y sin alimento.

enebro

mangle

¿Qué más necesitan los árboles?

Algunos árboles no tienen suficiente espacio.
Las raíces necesitan espacio para crecer.
Las hojas necesitan espacio para recibir
la luz del sol.
Al morir, los
animales y las
plantas se
mezclan con el
suelo. Esa mezcla
añade sustancias
al suelo y ayuda a
las plantas que allí
crecen.

Un avión necesita combustible para volar.
Un árbol necesita la luz del sol, agua
y espacio para crecer.
Sin estas cosas, un árbol
no puede vivir.
¿Qué árbol crecerá menos?
¿Por qué?

REPASO

1. ¿Son los árboles seres vivos? ¿Por qué?

2. ¿Qué absorben las raíces del árbol?

3. ¿Qué producen las hojas del árbol?

4. **Observa** ¿Qué parte de este árbol no se ve?

5. **Piensa y escribe** En la primavera no llovió. ¿Qué les pasará a los árboles?

¿Por qué es importante?

Los árboles crecen de semillas.

Vocabulario

semilla parte de la planta que contiene otra planta nueva en su interior

plantón planta joven y pequeña

Los árboles crecen

¿Sabías que las manzanas crecen en los árboles? Las manzanas son deliciosas. ¿Has mordido una manzana? ¿Qué había adentro?

INVESTIGA

¿Había semillas en la manzana? ¿Tienen todas las manzanas el mismo número de semillas?

¿Cuántas semillas hay en una manzana?

MATEMÁTICAS CONEXIÓN

Haz esta actividad para descubrirlo.
Escribe las respuestas en tu diario.

Necesitas

- manzana
- toalla de papel
- cuchillo de plástico
- *Diario científico*

¿Qué hacer?

¡TEN CUIDADO! Deja que tu maestro o maestra corte la manzana.

1. **Predice** ¿Cuántas semillas hay en una manzana? Escribe el número.

2. Saca todas las semillas.

3. **Usa los números** Cuenta las semillas y escribe el número.

¿Qué descubriste?

1. ¿Cuántas semillas encontraste?

2. **Compara** Habla con 2 compañeros. ¿Tenían todas las manzanas el mismo número de semillas?

¿Cómo crecen los árboles?

En la *Actividad de exploración* viste que las manzanas no tienen el mismo número de semillas.

Los manzanos crecen de semillas de manzana. La semilla tiene dentro una planta nueva.

La semilla se convierte luego en un plantón. Un plantón es una planta joven y pequeña.

1 semillas

2 plantón

18

El plantón crece y se convierte en árbol.

El árbol da manzanas después de varios años. Sus semillas pueden usarse para plantar muchos manzanos más.

3 **árbol**

4 **manzana con semillas**

¿Son todas las semillas iguales?

Hay semillas de todas formas y tamaños.
De una semilla crece una planta de su misma clase.
De las semillas de arce crecen arces.

¿Qué árboles crecerán de estas semillas?

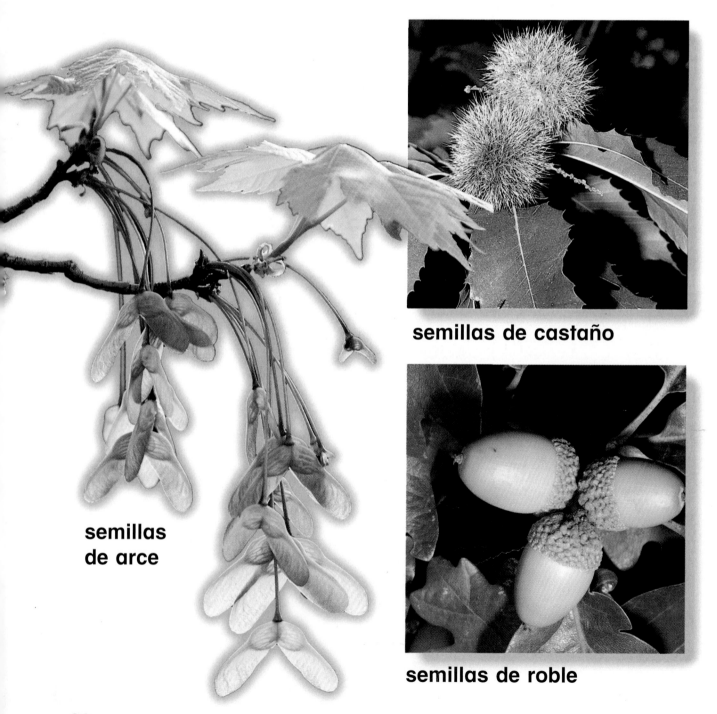

semillas de castaño

semillas
de arce

semillas de roble

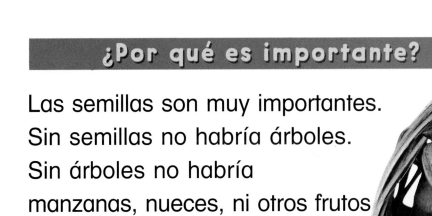

Las semillas son muy importantes.
Sin semillas no habría árboles.
Sin árboles no habría
manzanas, nueces, ni otros frutos
que crecen en los árboles.

REPASO

1. ¿De qué crecen los árboles?

2. **Piensa y escribe** ¿Cómo se llaman las plantas jóvenes y pequeñas?

3. ¿Son todas las semillas iguales?

4. **Observa**

¿Es alguna de estas plantas un plantón? ¿Cómo lo sabes?

5. Dibuja una manzana.

Tema
CIENCIAS DE LA VIDA
4

¿Por qué es importante?

Los árboles cambian mucho durante el año.

Vocabulario

siempreverde que está verde todo el año

Los árboles cambian

¿Crees que el árbol de estas fotos es el mismo?
¿Por qué?
¿Qué diferencias observas?

INVESTIGA

¿Sabes cómo cambian los árboles? Explica esos cambios.

¿Cómo cambian los árboles?

Podemos observar y explicar los cambios de los árboles.

Necesitas

- tarjetas ilustradas
- *Diario científico*

¿Qué hacer?

1. **Observa** Mira el árbol de las tarjetas. ¿Cómo cambió? ¿Cómo cambió el color de sus hojas?

2. Ordena las tarjetas. Empieza por la primavera.

3. Escribe el orden en tu diario.

¿Qué descubriste?

¿Cómo cambian los árboles?

23

¿Cómo cambian los árboles?

En la *Actividad de exploración* viste que
los árboles cambian durante el año.
Un manzano, por ejemplo, cambia mucho.

En primavera, el manzano tiene flores
y sus hojas empiezan a crecer.

En verano, tiene manzanas.

primavera

verano

En otoño se recogen las manzanas.
Las hojas se ponen de color amarillo y café.
Luego se caen del árbol.

En invierno el árbol no tiene hojas ni manzanas.

Pronto será primavera otra vez.
¿Qué le pasará al árbol en primavera?

otoño

invierno

¿Cómo cambian otros árboles?

Este árbol es un siempreverde.

Se llama así porque está verde todo el año.

Las hojas de los siempreverdes se llaman agujas.

Casi todos los siempreverdes conservan sus agujas en otoño.

En primavera crecen nuevas agujitas.

CientíficaMente

¿Cuándo decimos que un árbol es siempreverde?

Tú creces y cambias.
Los árboles también cambian.
Si no cambian no pueden dar
nuevas hojas ni frutos.

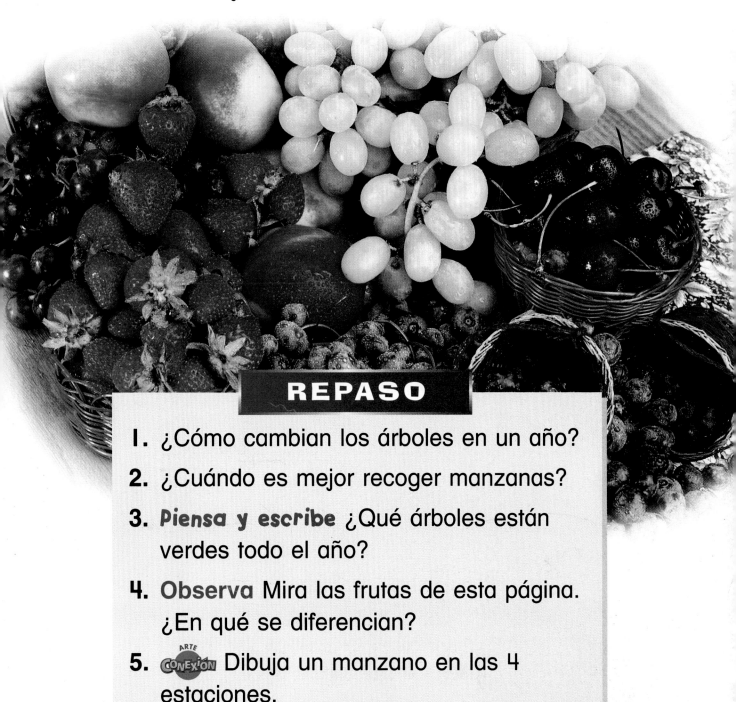

REPASO

1. ¿Cómo cambian los árboles en un año?

2. ¿Cuándo es mejor recoger manzanas?

3. **Piensa y escribe** ¿Qué árboles están verdes todo el año?

4. **Observa** Mira las frutas de esta página. ¿En qué se diferencian?

5. **Arte Conexión** Dibuja un manzano en las 4 estaciones.

Anillos de cumpleaños

Los árboles crecen durante años. Pero a veces mueren y hay que cortarlos.

Mira este trozo de árbol cortado. ¿Ves los anillos? En los árboles se forma un anillo cada año.

Conexión con Matemáticas

¿Por qué unos anillos son anchos y otros estrechos? Un árbol crece gracias al Sol y a la lluvia.

Algunos años hay mucho sol y llueve mucho. Entonces se forman anillos anchos.

Otros años apenas llueve. Entonces se forman anillos estrechos.

Comenta

1 ¿Qué nos enseñan los anillos de los árboles?

2 Mira el árbol cortado.
¿Tenía más años que tú?

Usa el vocabulario

hojas

observas

plantón

raíces

ramas

semilla

siempreverdes

tronco

1. Para producir su alimento, el árbol toma la luz del sol con sus __?__. página 4

2. __?__ una cosa cuando la miras, tocas, saboreas o hueles. página 6

3. Las __?__ sujetan el árbol al suelo. página 5

4. El __?__ sostiene las ramas. página 8

5. Las __?__ sostienen las hojas. página 8

6. Dentro de una __?__ hay una planta nueva. página 18

7. Un __?__ es una planta pequeña y joven. página 18

8. Los árboles __?__ tienen hojas durante todo el año. página 26

Usa conceptos científicos

9. Nombra las cuatro partes de un árbol. páginas 4, 5, 8

10. **Observa** ¿Qué necesita este árbol? página 10

Caja de soluciones

MATEMÁTICAS CONEXIÓN

Busca hojas Sal en busca de diferentes hojas. Recoge una de cada clase. ¿Cuáles se parecen? ¿Cómo las agruparías?

CAPÍTULO 2
¿CÓMO USAMOS LOS ÁRBOLES?

¿Por qué es importante?

Los árboles nos dan cosas que usamos todos los días.

Vocabulario

recurso natural
cosa útil que viene de la Tierra

La gente necesita árboles

¿Cómo sería la vida sin árboles?
Los árboles nos dan muchas cosas.
Por ejemplo, nos dan papel.
El papel de este libro viene
de los árboles.

INVESTIGA

Mira con atención la fotografía. ¿Cuántas de estas cosas nos dan los árboles?

¿Para qué sirven los árboles?

Busca cosas que nos dan los árboles.

Necesitas

- **revistas**
- **tijeras**
- **papel grande**
- **pegamento**
- *Diario científico*

¿Qué hacer?

1. **Observa** Busca ilustraciones de cosas hechas de madera. Recórtalas.

   ▨ **¡TEN CUIDADO!** Con las tijeras te puedes cortar.

2. Pégalas en un papel.

3. Escribe en tu diario para qué sirven los árboles.

¿Qué descubriste?

1. Haz una lista de cosas hechas de madera.

2. ¿Cuántas encontraste?

MATEMÁTICAS CONEXIÓN

¿Qué nos dan los árboles?

En la *Actividad de exploración* viste
que los árboles nos dan muchas cosas.
Los árboles nos dan todas estas cosas.

madera

caja

papel

frutas

nueces

Los árboles también nos dan otras cosas.

Nos dan sombra en días calurosos.

Bajo los árboles podemos descansar
o hacer un picnic.

Y, lo mejor de todo, los árboles son muy lindos.

¿Por qué te gustan los árboles?

¿Podemos quedarnos sin árboles?

Para usar los árboles hay que cortarlos.

Los árboles son un recurso natural.

Un recurso natural es una cosa útil
que viene de la tierra.

Plantamos árboles para que no se acaben.

¿Qué te faltaría si no hubiera árboles?
¿Echarías de menos su sombra?
¿Quizá sus frutas y sus nueces?
Los árboles son muy importantes
para tu vida.

REPASO

1. Di dos cosas que nos dan los árboles.

2. ¿Qué es un recurso natural?

3. ¿Por qué la gente planta árboles?

4. **Observa** ¿Qué viene de los árboles?

A   B

5. **Piensa y escribe** ¿Por qué te gustan los árboles?

Los animales necesitan árboles

¿Sabes dónde duermen los pájaros?
Muchos pájaros duermen y hacen
sus casas en los árboles.
Esas casas se llaman nidos.

Muchos animales viven en los árboles.

Vocabulario

refugio lugar que sirve para protegerse

INVESTIGA

¿Cómo hizo este pájaro su nido?

¿Qué dan los árboles a los pájaros?

¿Hacen los pájaros sus nidos de hojas?

¿Qué hacer?

1. Recorta la hoja de papel.

   ¡TEN CUIDADO! Con las tijeras te puedes cortar.

2. Tu maestro o maestra hará cuatro agujeros en cada lado de la hoja.

3. Pasa la lana por los agujeros y tira de las puntas.

4. Pega la lana a la hoja.

5. Pon el pasto dentro del nido.

6. **Predice** ¿Cuántas piedritas cabrán en tu nido? Escribe el número en tu diario.

7. Pon las piedritas, una por una.

¿Qué descubriste?

1. ¿Cuántas piedritas caben en tu nido?

2. ¿Por qué el pájaro necesita un árbol?

Necesitas

- papel en forma de hoja
- lana
- cinta adhesiva
- tijeras
- pasto
- piedritas
- *Diario científico*

¿Por qué los animales necesitan árboles?

¿Qué animales viste en los árboles?
Los animales usan los árboles como refugio.
Un refugio es un lugar para protegerse.
Muchos animales viven en los árboles.
Los pájaros se posan
en las ramas.
En la *Actividad de
exploración* viste que una
hoja puede ser un refugio.

venado

zarigüeya

águila y su cría

Los árboles dan comida
a los animales.
Algunos animales
comen hojas.
Otros comen semillas.
Y otros comen los insectos
que viven en los árboles.

jirafa

mapache

pájaro carpintero

¿Cómo ayudan los animales a los árboles?

Los animales llevan semillas de un lugar a otro. Cuando estas semillas se caen en la tierra, crecen nuevas plantas.

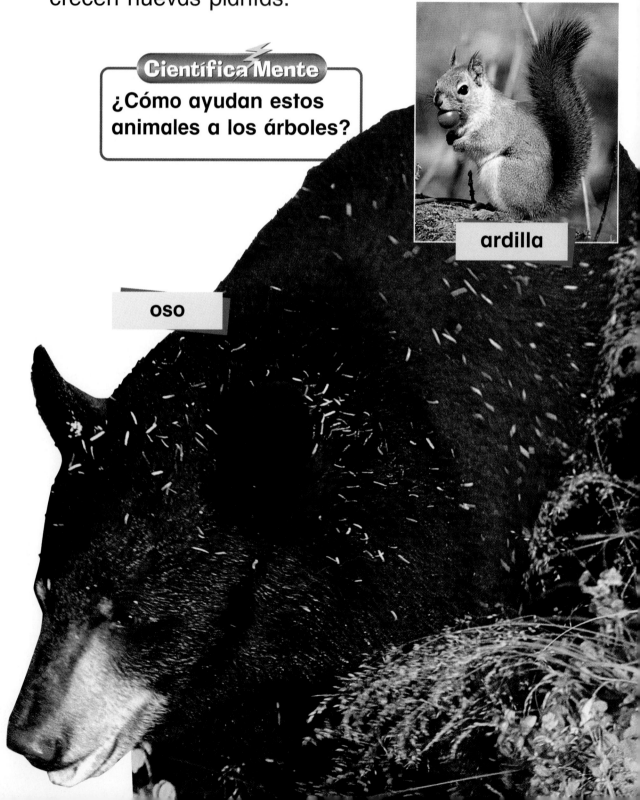

Científica Mente

¿Cómo ayudan estos animales a los árboles?

ardilla

oso

Los árboles son importantes para muchos animales. Algunos viven o se esconden en ellos. Los pájaros hacen nidos en las ramas. Los árboles dan comida a los animales. ¿Cómo protegerías a los animales que viven en los árboles?

REPASO

1. ¿Cómo protegen los árboles a los animales?

2. ¿Qué comida dan los árboles a los animales?

3. **Piensa y escribe** ¿Cómo van las semillas de un lugar a otro?

4. **Observa** ¿Por qué el pájaro está en el árbol?

5. **ARTE CONEXIÓN** Dibuja un árbol y un animal que viva en él.

La salud de los árboles

¿Hay médicos para los árboles?

Sí. Pepe es médico de árboles.

Les corta las ramas rotas.

También las que están débiles.

Pepe trepa a los árboles con botas especiales que se clavan en el tronco como las uñas de un gato. También usa una sierra mecánica. ¡Cuánto ruido hace!

Pepe ayuda a los árboles de muchas maneras. Pone minerales en la tierra para ayudar a los árboles a crecer. Él corta las ramas sobrantes para que tengan luz suficiente.

Pepe corta algunas ramas de este manzano.

Las ramas que quedan recibirán más aire y luz.

¡Así las manzanas crecerán más grandes!

COMENTA

1. ¿Por qué crece mejor un árbol si le cortan algunas ramas?

2. ¿Qué herramientas usa Pepe?

45

Usa el vocabulario

| recurso natural |
| refugio |

1. Algo útil que viene de la tierra es ___?___.
   página 36

2. Los animales usan los árboles como ___?___.
   página 40

Usa conceptos científicos

3. ¿Qué no viene de los árboles? páginas 34-35

   a.   b.   c.   d.

4. ¿Por qué los pájaros necesitan árboles?
   páginas 40-41

5. ¿Por qué las jirafas, los mapaches y los pájaros carpinteros necesitan árboles? página 41

6. ¿Por qué debemos proteger a los árboles?
   página 36

7. Haz una lista de las maneras en que los animales usan los árboles. páginas 40-41

8. **Observa** ¿Cómo ayuda a los árboles este animal? página 42

ARTE CONEXIÓN

Caja de soluciones

MATEMÁTICAS CONEXIÓN

Ciencias a la vista Observa un árbol cercano a tu casa. Observa en él una hoja y un trozo de corteza. Dibuja el árbol.

Usa el vocabulario

| observar plantón raíces refugio siempreverde |

1. Un árbol puede servir de __?__ a una ardilla.

2. Las __?__ sujetan el árbol al suelo.

3. Al __?__ una planta aprendes sobre ella.

4. Una planta pequeña y joven es un __?__.

5. Un árbol __?__ está verde todo el año.

Usa conceptos científicos

6. ¿Qué absorben de la tierra las raíces?

7. Nombra cuatro cosas que nos dan los árboles.

8. ¿Qué ocurre cuando una semilla cae en la tierra?

9. ¿Para qué sirve el tronco de un árbol?

10. **Observa** ¿Hay un árbol cerca de tu casa? ¿Cómo lo describirías?

 **Escribe en tu diario**

¿Qué ves aquí?

Caja de soluciones

El árbol de cumpleaños

Mira estos árboles de cumpleaños.
¿En qué mes crees que se celebra cada
cumpleaños? ¿Por qué?

Feliz Cumpleaños.
Elisa

Feliz Cumpleaños.
Marisa

Feliz Cumpleaños.
Andrés

Feliz Cumpleaños.
Jorge

¡Gracias, árboles!

¿Qué dan los árboles
a las personas y a los
animales? Dibuja un árbol
con cuatro ramas. Llámalas
así: *sombra, comida,
madera* y *refugio*.
Escribe en las hojas
los usos del árbol.

madera   comida

refugio   sombra

UNIDAD 2

EL CIELO

CAPÍTULO 3

MIRANDO EL CIELO

49

¿Por qué es importante?

El Sol es muy importante para todos los seres vivos.

Vocabulario

temperatura lo frío o caliente que está una cosa

calentar dar calor

inferir usar lo que sabemos para comprender algo

El Sol

¿Te gusta jugar al sol o a la sombra?

Mira esta fotografía.

¿Qué ropa llevan los niños?

¿Por qué se visten así?

INVESTIGA

¿Hace más calor al sol que a la sombra? ¿Cómo lo sabes?

¿Cuánto calor hace?

Mide la temperatura en diferentes lugares. Escribe las respuestas en tu diario.

Necesitas

• **2 termómetros**

• **Diario científico**

¿Qué hacer?

1. Trabaja con un compañero o compañera. Escoge un lugar al sol y otro a la sombra.

2. Coloca un termómetro en cada lugar. Dibuja los dos lugares en tu diario.

3. Lee las temperaturas. ¿Hace frío o calor? Anota las temperaturas.

4. Busca otros dos lugares y repite los pasos 2 y 3.

¿Qué descubriste?

1. **Compara** ¿Dónde hacía más calor? ¿Dónde hacía más frío?

2. **Concluye** ¿Por qué la temperatura era diferente en cada lugar?

¿Qué hace el Sol?

En la *Actividad de exploración* viste
que la **temperatura** puede ser diferente.
La temperatura es lo frío o caliente
que está una cosa.
La temperatura es más alta al sol
y más baja a la sombra.

La temperatura sube con el paso
del día. Casi siempre hace más calor
por la tarde que por la mañana.

El Sol está muy caliente.

El Sol ilumina y calienta la Tierra.

Calentar significa dar calor a una cosa.

¡Qué calor hace hoy!

El Sol calienta la arena.

También calienta el agua y el aire.

¿Dónde hace más calor?

Mira estas dos fotos.
¿Dónde hace más calor?
¿Cómo lo sabes?

Puedes inferir dónde hace más calor.
Inferir significa usar lo que sabemos
para comprender algo.

Observar y después inferir

En esta actividad usarás pistas para inferir dónde hace más calor.

Necesitas

- **tarjetas ilustradas**

- *Diario científico*

¿Qué hacer?

1. Pon las tarjetas con las ilustraciones hacia arriba.

2. **Infiere** Halla dos tarjetas que muestren la misma estación.

¿Qué descubriste?

1. **Infiere** ¿Qué pares de tarjetas fueron fáciles de hallar?

2. ¿Qué pistas te ayudaron a decidir?

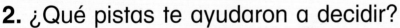

¿Dónde está el Sol?

¿Dónde está el Sol por la mañana?

¿Y por la tarde?

¿Dónde estará el Sol mañana por la mañana?

¿Y mañana por la tarde?

¿Qué patrón observas?

mañana

tarde

El Sol da luz y calor a la Tierra.
Las plantas necesitan luz para producir
su alimento.
Las plantas y los animales necesitan
calor para vivir.
El Sol es muy necesario para
todos los seres vivos.

REPASO

1. ¿Qué nos dice la temperatura?

2. ¿Qué nos da el Sol?

3. **Piensa y escribe** ¿Qué patrón sigue el Sol cada día?

4. **Infiere** Afuera está oscuro. ¿Es de día o es de noche?

5. Dibuja un día caluroso.

57

Tema
CIENCIAS DE LA TIERRA
2

¿Por qué es importante?

Todos los objetos pueden dar sombra.

Sombras

Necesitas luz para hacer una sombra.

¿Dónde está la luz en la foto?

¿Enfrente de las manos?

¿Detrás de las manos?

¿Arriba? ¿Debajo?

INVESTIGA

¿Cómo hacen los niños estas figuras?

¿Podrías hacer figuras como ésta?

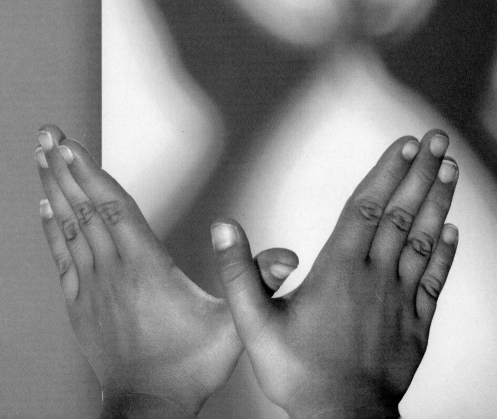

¿Cómo puedes hacer figuras con las sombras?

MATEMÁTICAS CONEXIÓN

Haz esta actividad para descubrirlo.
Escribe las respuestas en tu diario.

Necesitas

• "atrapasombras"

• *Diario científico*

¿Qué hacer?

1. Sal y haz una sombra. ¿Cómo lograrías agrandarla? ¿Y achicarla?

2. Investiga con otras 2 sombras.

3. Con un compañero o compañera, traza las sombras en el "atrapasombras".

4. **Observa** Muestra tus dibujos. ¿Cómo se formó cada sombra?

¿Qué descubriste?

1. **Decide** ¿Cómo formaste la sombra?

2. ¿Cómo lograste agrandarla o achicarla?

¿Qué es una sombra?

El Sol está arriba y detrás de los niños.
¿Dónde está la sombra?
La sombra es una oscuridad que se forma
cuando algo bloquea la luz.
¿Qué bloquea la luz?

Mañana   Tarde

En la *Actividad de exploración* viste
que las sombras cambian.
Las sombras también cambian a medida
que el Sol parece moverse.
Di dónde está cada sombra.
Usa palabras como arriba y abajo.

¿Siempre se ven las sombras?

Cuando la luz del sol no es suficiente no puedes ver sombras.

¿Por qué no hay sombras en esta foto?

NATIONAL GEOGRAPHIC

CURIOSA MENTE

Un reloj de sol te dice la hora. La sombra del reloj se mueve todo el día. ¿Por qué? ¿Siempre hay una sombra en el reloj?

Todos los objetos pueden dar sombra.
La sombra te protege del calor.
¿Dónde está el Sol? ¿Detrás de los niños?
¿Arriba?

REPASO

1. ¿Cómo se forman las sombras?

2. **Piensa y escribe** ¿Cómo cambian las sombras entre la mañana y la tarde?

3. ¿Por qué no puedes ver sombras en un día nublado?

4. **Infiere** ¿Qué objeto forma esta sombra?

5. Dibuja una casa y muestra dónde está el Sol. Añade las sombras.

¿Por qué es importante?

Si sabes qué tiempo hace sabrás qué ropa ponerte.

Vocabulario

nube conjunto de gotitas de agua que flotan en el cielo

El tiempo

¿Qué tiempo hace en esta foto? ¿Hace el mismo tiempo todos los días?

INVESTIGA

¿Cómo cambia el tiempo? ¿Cómo lo sabes?

¿Qué tiempo hace?

En esta actividad observarás qué tiempo hace durante una semana. Escribe las respuestas en tu diario.

Necesitas

- **Tabla del tiempo**
- **termómetro**

- *Diario científico*

¿Qué hacer?

1. **Observa** Mira el cielo. ¿Está azul o gris? Anota lo que ves.

2. Mide y anota la temperatura.

3. ¿Está nublado? ¿Llueve? ¿Nieva? Anota lo que ves.

4. Observa el tiempo durante una semana. Anota lo que veas en la Tabla del tiempo.

¿Qué descubriste?

1. ¿Qué cambios observaste en el tiempo?

2. **Compara** ¿Qué día hizo más calor?

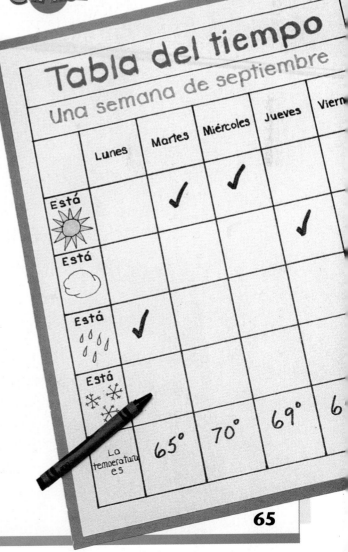

Tabla del tiempo
Una semana de septiembre

	Lunes	Martes	Miércoles	Jueves	Viern
Está ☀		✓	✓		
Está ☁				✓	
Está 🌧	✓				
Está ❄					
La temperatura es	65°	70°	69°	6	

65

¿Qué tiempo hace?

En la *Actividad de exploración* viste que el tiempo cambia.

El tiempo puede cambiar en cualquier momento.
Hace sol, pero luego aparecen nubes.
La temperatura baja y el viento sopla.
Pronto lloverá.

soleado

ventoso

lluvioso

Las nubes están formadas por gotitas de agua que flotan en el cielo.

Cuando las gotitas de agua se hacen más grandes, llueve.

¿Cómo son las nubes en cada foto?

Nubes de buen tiempo

Nubes de tormenta

¿Qué tiempo hace?

El tiempo puede cambiar.
¿Qué tiempo hace en cada foto?

nieve

granizo

niebla

¿Cuándo necesitas saber qué tiempo hace?
Cuando te tienes que vestir para salir de casa.
Cuando se acerca una tormenta y debes
volver a casa.

REPASO

1. ¿Cómo puede ser el tiempo?

2. ¿Cómo cambia el tiempo?

3. **Piensa y escribe** ¿Cómo se forman
   las nubes?

4. **Infiere** Miras al cielo y ves que
   va a llover. ¿Cómo está el cielo?

5. ARTE CONEXIÓN Dibuja la ropa que usas cuando
   nieva.

¿Por qué es importante?

El tiempo cambia con las estaciones.

Vocabulario

estaciones primavera, verano, otoño e invierno

El tiempo y las estaciones

¿Qué época del año te gusta más?

¿Qué tiempo hace en esa época?

Mira esta foto.

El tiempo está cambiando.

Es hora de sacar la ropa de abrigo.

INVESTIGA

¿Sabes cómo cambió el tiempo?

¿Cómo cambia el tiempo en un año?

En esta actividad vamos a aprender sobre el tiempo durante las diferentes estaciones.

Necesitas

- tarjetas ilustradas
- *Diario científico*

¿Qué hacer?

1. **Observa** Mira las tarjetas.

2. Agrúpalas por estaciones.

3. Describe cada grupo. Anótalo en tu diario.

¿Qué descubriste?

1. ¿Qué grupo muestra lo que pasa en los días más fríos?

2. Dibuja otras cosas que puedan aparecer en cada grupo.

¿Cómo cambia el tiempo con las estaciones?

Un año tiene cuatro estaciones: primavera, verano, otoño e invierno.

Los veranos son más calurosos.
Los inviernos son más fríos.

verano

primavera

invierno

otoño

En la *Actividad de exploración* viste cómo
cambia el tiempo de una estación a otra.

¿Qué estación te gusta más?

¿Qué tiempo hace en otros lugares?

GEOGRAFÍA
CONEXIÓN

Es verano, pero no hace el mismo tiempo en todas partes.

El tiempo cambia de un lugar a otro.

En San Antonio, Texas, el tiempo es cálido y seco.

En San Francisco, California, es más fresco y lluvioso.

¿Cómo es el verano donde vives?

Texas en julio

California en julio

Las estaciones son diferentes en diferentes lugares.

En invierno hace mucho frío en algunos lugares como para cultivar alimentos.

En casi toda la Florida el tiempo es cálido y permite cultivar.

Por eso puedes comer naranjas en invierno.

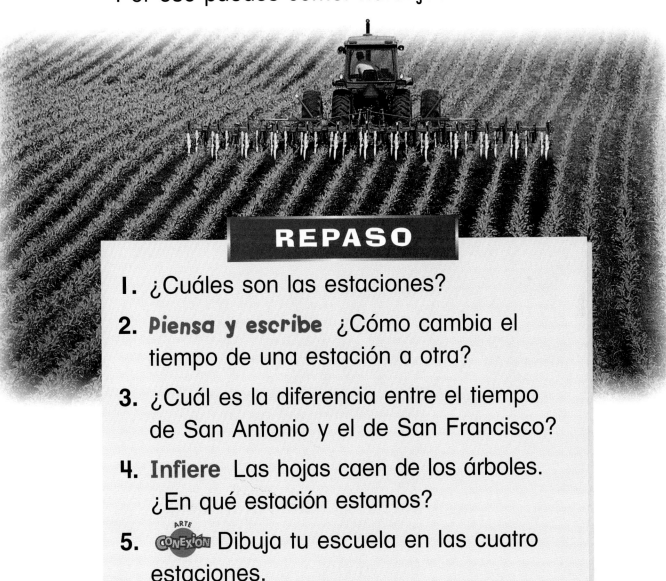

REPASO

1. ¿Cuáles son las estaciones?

2. **Piensa y escribe** ¿Cómo cambia el tiempo de una estación a otra?

3. ¿Cuál es la diferencia entre el tiempo de San Antonio y el de San Francisco?

4. **Infiere** Las hojas caen de los árboles. ¿En qué estación estamos?

5. **ARTE CONEXIÓN** Dibuja tu escuela en las cuatro estaciones.

La larga siesta de invierno

Los osos pardos comen peces, fresas y plantas. En verano y en otoño comen mucho. ¡Se ponen muy gordos!

Los osos pardos viven en lugares donde hay mucho hielo y nieve en invierno. Por eso les cuesta encontrar comida. Entonces se refugian en guaridas y duermen una larga siesta.

En primavera se despiertan ¡y tienen mucha hambre!

Comenta

1 ¿Por qué a los osos les cuesta encontrar comida en invierno?

2 ¿Qué hacen los osos en invierno?

Usa el vocabulario

calentar
estación
inferir
nubes
sombra
temperatura

Completa cada oración con la palabra correcta.

1. La __?__ indica lo frío o caliente que está una cosa. página 52

2. __?__ es dar calor a una cosa. página 53

3. __?__ es usar lo que sabes para comprender algo. página 54

4. El invierno es una __?__. página 72

5. Cuando algo bloquea el camino de la luz se forma una __?__. página 60

6. Las gotitas de agua que flotan en el cielo forman las __?__. página 67

Usa conceptos científicos

¿Qué tiempo hace en estos dibujos? páginas 66-68

7.  8.  9.

10. **Infiere**
¿Dónde está el Sol?
página 60

Caja de soluciones

El Sol de verano Haz un dibujo del tiempo que hace en verano.

CAPÍTULO 4
CIELOS DE NOCHE

Tema 5
CIENCIAS DE LA TIERRA

¿Por qué es importante?

La Luna parece cambiar de forma.

Vocabulario

Luna roca grande y redonda que da vueltas alrededor de la Tierra

La Luna

¿Qué ves en el cielo por la noche? Muchas veces verás un objeto grande y brillante.
¿Qué es?
¡La Luna!

INVESTIGA

¿Se mueve la Luna a través del cielo?
¿Está siempre en el mismo lugar?

¿Dónde está la Luna?

¿Se mueve la Luna? Descúbrelo en esta actividad. Escribe las respuestas en tu diario.

Necesitas

• tarjetas ilustradas

• *Diario científico*

¿Qué hacer?

1. **Observa** Mira las fotos de la Luna. ¿Sabes cuál se tomó primero?

2. Ordena las fotos. Anota el orden.

3. ¿Dónde estará la Luna después? Haz un dibujo.

¿Qué descubriste?

1. ¿Se mueve la Luna?

2. **Explica** Di cómo se mueve la Luna.

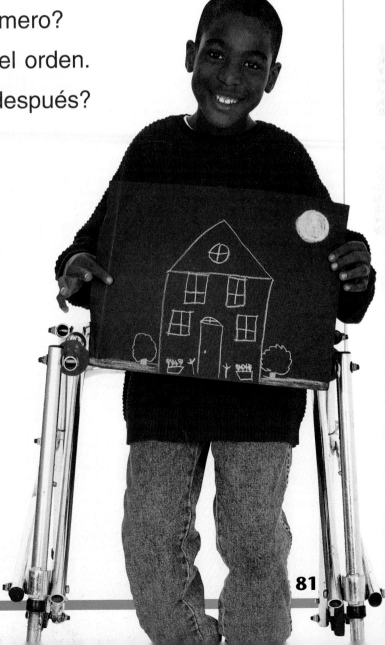

¿Cómo cambia la Luna?

La Luna se ve grande en el cielo durante la noche. Es una roca grande y redonda que da vueltas alrededor de la Tierra.

En la *Actividad de exploración* viste que la Luna se mueve a través del cielo. También parece cambiar de forma al pasar los días.

Luna creciente

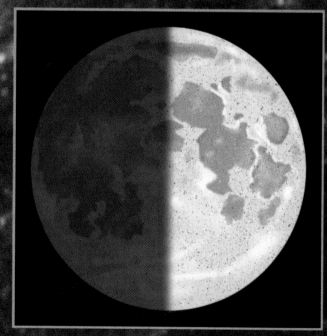

Cuarto creciente

Al principio no ves la Luna.

Cada noche ves la Luna un poco más.

Alrededor de 2 semanas después, la ves redonda y llena.

Luego se hace más pequeña.

Y después desaparece.

Este ciclo se repite.

MATEMÁTICAS
CONEXIÓN

Luna llena

Cuarto menguante

¿Por qué cambia la Luna?

La Luna no tiene luz propia.
El Sol ilumina la parte que vemos de la Luna.
Pero el Sol no llega a la parte más
oscura de la Luna.
Por eso no podemos verla.

iluminada

oscura

La Luna es nuestra vecina en el espacio.
Nos ayuda a ver en la oscuridad.
Antes se contaban los días
observando la Luna.
La gente vio que la Luna
tardaba alrededor de 28
días en hacer todos
sus cambios.
Así nació la idea
del calendario.

REPASO

1. ¿Qué es la Luna?

2. ¿Qué ciclo sigue la Luna?

3. **Piensa y escribe** ¿De dónde recibe luz la Luna?

4. **Observa** Mira la Luna de la página 84. ¿Qué forma tiene?

5. Dibuja los cambios de la Luna en un mes.

Tema 6

CIENCIAS DE LA TIERRA

¿Por qué es importante?

Las estrellas nos guían.

Vocabulario

estrellas Objetos que brillan en el cielo con luz propia

constelación figura que forman las estrellas en el cielo

Las estrellas

¿Viste la Luna en el cielo?
Es el objeto más grande
que ves allí.
Pero también puedes ver
cosas más pequeñas.
¿Sabes qué son?

INVESTIGA

**¿Qué ves en el cielo de noche?
¿Por qué puedes ver todas
estas cosas en la oscuridad?**

¿Qué ves en el cielo de noche?

¿Es fácil ver cosas que brillan en la oscuridad?

Necesitas
- linterna
- barra luminosa
- luz de noche
- objetos pequeños
- *Diario científico*

¿Qué hacer?

1. **Predice** ¿Qué objetos pondrías en los grupos *Se ven bien en la oscuridad* y *Se ven mal en la oscuridad*?

2. Dibuja los objetos en tu diario. Comparte tus ideas.

3. Ayuda a tu maestro o maestra a agrupar los objetos.

4. Apaga las luces y comprueba tus ideas.

   ▨ ¡TEN CUIDADO!
   No enfoques a nadie en la cara.

¿Qué descubriste?

1. ¿Qué objetos se ven bien en la oscuridad? ¿Por qué?

2. ¿Qué objetos se ven mal? ¿Por qué?

¿Qué son las estrellas?

Algunos de los objetos que brillan
en el cielo de noche son estrellas.
Las estrellas tienen luz propia.
Brillan porque están muy calientes.
Pero no podemos sentir su calor
porque están muy lejos.
En la *Actividad de exploración* viste que
algunos objetos dan luz.

Hay una estrella que está muy cerca de la Tierra.
Durante el día sentimos su calor.
¿Sabes cuál es?

¡El Sol!

el Sol

¿Qué figuras forman las estrellas?

En el pasado la gente pensaba que algunas estrellas formaban figuras en el cielo.

Una **constelación** es una figura formada por estrellas.

La Cacerola Grande es una constelación.

Científica Mente
¿Por qué se llama Cacerola Grande?

Cacerola Grande

¿Sabes dónde está
el norte?
La Cacerola Grande apunta
hacia la Estrella Polar.
La Estrella Polar señala
el norte.
Los navegantes usaron
la Estrella Polar
para orientarse
en el mar.

REPASO

1. ¿Qué son las estrellas?

2. ¿Cuál es la estrella más cercana
a la Tierra?

3. ¿Qué es una constelación?

4. **Observa** ¿Cuántas estrellas forman
la Cacerola Grande?

5. **Piensa y escribe** ¿En qué se diferencia
la Luna de las estrellas?

En 1969, Estados Unidos envió
la nave Apolo XI a la Luna.
En la nave viajaban tres astronautas.
Dos de ellos caminaron por la Luna.

El otro se quedó en la nave
volando alrededor de la Luna.
Luego todos regresaron a la Tierra.

Otra nave Apolo alunizó más
tarde en la Luna. Los astronautas
tomaron fotos y recogieron piedras.
Así aprendimos mucho sobre
la Luna.

COMENTA

1. ¿Cuándo un ser humano pisó
   la Luna por primera vez?
2. ¿Por qué es difícil ir a la Luna?

93

Usa el vocabulario

constelación

estrellas

Luna

Completa cada oración con la palabra correcta.

1. La ___?___ es una roca grande y redonda que da vueltas alrededor de la Tierra. página 82

2. Algunos de los objetos que brillan en el cielo de noche son ___?___. página 88

3. Una ___?___ es una figura formada por un grupo de estrellas en el cielo. página 90

Usa conceptos científicos

4. ¿Dónde se mueve la Luna? página 83

5. ¿De dónde recibe luz la Luna? página 84

6. ¿Por qué brillan las estrellas? página 88

7. ¿Qué estrella está más cerca de la Tierra? página 89

8. ¿Qué estrella da calor a la Tierra? página 89

9. Dibuja la Cacerola Grande.

10. **Observa** ¿Cómo cambia la Luna aquí?

Caja de soluciones

Grande y pequeña ¿Puedes dibujar un patrón que muestre los cambios de la Luna? Inténtalo.

Usa el vocabulario

estaciones   estrellas   nubes   sombra   temperatura

1. Cuando hace más calor, sube la ___?___.

2. A la ___?___ de un árbol se está más fresco.

3. El verano y el invierno son ___?___.

4. La lluvia cae de las ___?___.

5. Las constelaciones son figuras formadas por las ___?___ en el cielo.

Usa conceptos científicos

6. ¿En qué estación caen las hojas de los árboles?

7. ¿Por qué brilla la Luna?

8. ¿Qué tiempo hace hoy?

9. ¿Qué es la Cacerola Grande?

10. **Infiere** ¿Dónde está tu sombra cuando tienes el Sol de frente?

Escribe en tu diario

Explica los cambios de la Luna. Dibújalos.

Caja de soluciones

La sombra más larga

¿Cuándo da el Sol la sombra más larga?
Clava un palo en la tierra.
Traza su sombra por la mañana.
Traza su sombra al mediodía.
Traza su sombra por la tarde.

Haz una constelación

Dibuja el modelo de una
constelación en una tarjeta.
Haz agujeros en las estrellas.
Apaga las luces y enfoca
la tarjeta con
una linterna.

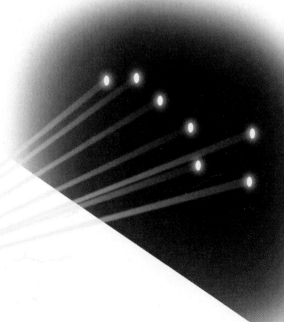

MATERIA Y MÁS MATERIA

CAPÍTULO 5
OBSERVANDO LA MATERIA

¿Por qué es importante?

Las propiedades te ayudan a decir cómo son las cosas.

Vocabulario

propiedad apariencia, textura, olor, sabor o sonido de algo

medir hallar el tamaño o la cantidad de algo

Propiedades

En el mundo puedes ver muchas cosas.
Mira todas estas cosas.
¿En qué se parecen?
¿En qué se diferencian?

INVESTIGA

¿Cómo puedes describir las cosas?

Usar los sentidos

¿Puedes saber qué es una cosa con sólo tocarla? Usa objetos para descubrirlo. Escribe las respuestas en tu diario.

Necesitas

- canica
- cuchara
- goma de borrar
- moneda de un centavo
- taco de madera
- nuez con cáscara
- bolsa de almuerzo
- *Diario científico*

¿Qué hacer?

1. Pon todas las cosas en la bolsa. Saca una.

2. Tu compañero o compañera debe sacar la misma cosa de su bolsa, pero sin mirar. Sólo puede tocarla.

3. **Compara** Pide a tu pareja que ponga su objeto al lado del tuyo. ¿Se parecen?

4. Ahora le toca a tu pareja escoger primero.

¿Qué descubriste?

1. ¿Qué te ayudó a encontrar el mismo objeto?

2. **Concluye** ¿Por qué algunas cosas son diferentes al tacto?

¿Cómo usas tus sentidos?

En la *Actividad de exploración* viste cómo se
distinguen las cosas al tocarlas.
La apariencia, la textura, el olor, el sabor
o el sonido son propiedades de los objetos.
Esas propiedades ayudan a decir cómo
es un objeto.

sentido del tacto

sentido del olfato

La cuchara es suave.
La canica es pesada.
Liviano, pesado, suave
o áspero son propiedades.
¿Qué otras propiedades tiene la canica?

sentido del gusto

sentido del oído

¿Cómo medimos?

¿Cuánta agua hay en el vaso?

¿Está muy caliente la sopa?

¿Qué largo tiene el libro?

Para saber el tamaño o la cantidad

de una cosa puedes medirla.

Cuando mides las cosas usas los números.

agua

sopa caliente

libro

Medir

En esta actividad medirás tu escritorio empleando diferentes cosas.

¿Qué hacer?

Necesitas

- sujetapapeles
- lápices
- *Diario científico*

1. Pon los sujetapapeles uno detrás de otro a lo largo de tu escritorio.

2 **Mide** Cuenta los sujetapapeles que usaste. Anota el número en tu diario.

3. **Predice** ¿Cuántos lápices podrás alinear a lo ancho de tu escritorio?

4. **Mide** Usa lápices para medir tu escritorio. Anota el número.

¿Qué descubriste?

1. **Identifica** ¿Cómo mediste el ancho de tu escritorio?

2. **Explica** ¿Usaste el mismo número de sujetapapeles que de lápices? ¿Por qué?

¿Qué propiedades tiene?

¿Cuántas cosas ves?

¿Cuál de ellas es brillante?

¿Cuál es dura?

¿Cuál es suave?

¿Cómo lo sabes?

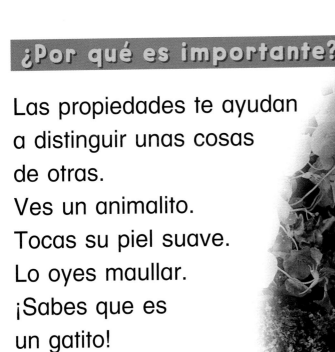

¿Por qué es importante?

Las propiedades te ayudan
a distinguir unas cosas
de otras.
Ves un animalito.
Tocas su piel suave.
Lo oyes maullar.
¡Sabes que es
un gatito!

REPASO

1. ¿Qué son las propiedades?

2. ¿Qué usas para observar
   las propiedades de un objeto?

3. ¿Qué aprendes cuando mides algo?

4. **Mide** ¿Cómo medirías el largo
   de algo?

5. **Piensa y escribe** ¿Qué propiedades
   tiene una piedra?

Tema

CIENCIAS FÍSICAS

2

¿Por qué es importante?

El mundo está hecho de materia.

Vocabulario

materia cosa de que están hechos todos los objetos

masa cantidad de materia que hay en un objeto

Materia

¿En qué se parecen estas cosas? Están hechas de materia. ¡Tú también estás hecho de materia!

INVESTIGA

¿Por qué algunas cosas pesan más que otras?

¿Cuánta materia hay?

Compara estos objetos para saberlo. Escribe las respuestas en tu diario.

Necesitas

- canica
- goma de borrar
- moneda de un centavo
- cuchara de plástico
- balanza
- *Diario científico*

¿Qué hacer?

1. Toma cada objeto. ¿Cuál tiene más materia? ¿Cuál tiene menos?

2. **Predice** Pon los objetos en fila colocando delante los que tienen más materia. Anota tu predicción.

3. **Compara** Pon la canica y la cuchara en la balanza. ¿Cuál pesa más? Anota el resultado.

4. **Compara** Pon otras dos cosas en la balanza. Anota el resultado.

¿Qué descubriste?

1. ¿Pesa más el objeto más grande?

2. **Concluye** ¿Qué objeto tiene más materia?

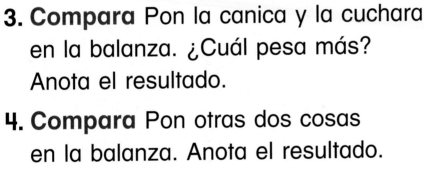

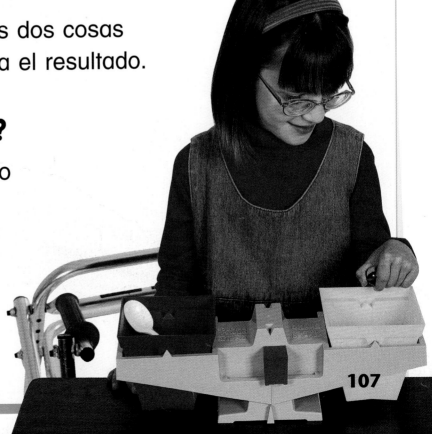

¿De qué están hechos los objetos?

Los objetos están hechos de materia.
Las bicicletas, las pelotas y las cajas
están hechas de materia.
Las hormigas, las plantas y los elefantes
también. Tú estás hecho de materia.

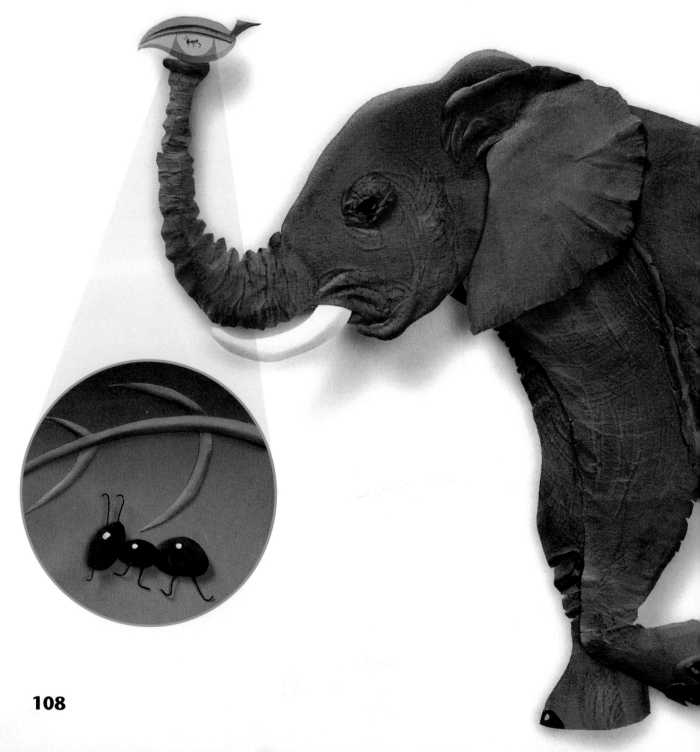

108

La materia puede medirse.

En la *Actividad de exploración* viste
que la canica pesa más que la cuchara.

La canica tiene más masa.

La masa es la cantidad de materia
que hay en un objeto.

El objeto más pesado tiene más masa.

**La ballena azul es muy grande.
Es el animal más grande.
¡Tiene la masa de 30 elefantes!
¿Qué otras cosas tienen tanta
masa?**

¿Qué propiedades tiene la materia?

La materia ocupa espacio.

Una caja de juguetes ocupa espacio.

Los juguetes ocupan espacio.

Tú también ocupas espacio.

Ocupar espacio es una propiedad
de la materia.

¿Por qué es importante?

La materia es importante.
Sin ella no existiría la Tierra
ni habría casas, comida
ni juguetes.

¡Sin ella no existirías tú!

REPASO

1. ¿Qué es la materia?

2. ¿Qué objeto tiene más materia?

3. Nombra una propiedad de la materia.

4. Mide ¿Cómo puedes probar que
una canica tiene más masa que
un centavo?

5. Piensa y escribe Piensa en un objeto
pequeño que tenga más masa que
otro más grande. Escribe su nombre.

Rocas, rocas y más rocas

Hay rocas de muchos tamaños. Las peñas son grandes y los guijarros pequeños. Aunque no se vean iguales, son rocas al fin.

¡La piedra pómez flota!

Las rocas son muy variadas. Unas son ásperas y otras suaves. Algunas tienen lindos colores. Otras pueden jalarse con un imán.

Muchos edificios están hechos de roca. Con rocas también se construyen puentes y calles.

Comenta

1 ¿En qué se diferencian las rocas de estas fotos?

2 Nombra una cosa hecha de roca.

Usa el vocabulario

| masa |
| materia |
| medir |
| propiedades |

1. La apariencia, la textura, el olor, el sabor y el sonido son __?__. página 100

2. La __?__ es la cantidad de materia que hay en un objeto. página 109

3. Al __?__ usas los números. página 102

4. Todo está hecho de __?__. página 108

Usa conceptos científicos

5. ¿Qué tiene más materia: una hormiga o un perro? página 109

6. Nombra 2 objetos con las mismas propiedades. páginas 100–101

7. Anota 2 propiedades de un gato.
   páginas 100–104

8. ¿Por qué una canica pesa más que una cuchara? páginas 106–107

9. Anota 3 propiedades de una pelota de fútbol.
   página 100

10. **Mide** ¿Qué usarías para medir el largo de una cosa?

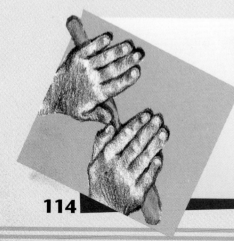

Caja de soluciones

¿De qué tamaño es? Haz una tira de plastilina y mídela. Córtala en dos y mide cada trozo. ¿Cómo cambió? Usa una balanza para comparar la masa.

CAPÍTULO 6
COMPAREMOS LA MATERIA

Tema
CIENCIAS FÍSICAS
3

¿Por qué es importante?

Usas sólidos todos los días.

Vocabulario

sólido materia que tiene forma y tamaño

Sólidos

¿Qué les sucede a los autos?
¿Cómo cambiaron su forma?

INVESTIGA

¿Pueden los autos cambiar de forma por sí solos?

116

¿Cambian de forma los objetos sólidos?

En esta actividad lo descubrirás con un centavo y una cuchara. Escribe las respuestas en tu diario.

Necesitas

- moneda de un centavo
- cuchara
- vaso
- bolsa de almuerzo
- *Diario científico*

¿Qué hacer?

1. Traza los contornos de la moneda y la cuchara.

2. **Observa** Pon la moneda en el vaso y mírala. Sácala y traza su contorno.

3. **Observa** Pon la cuchara en el vaso y mírala. Sácala y traza su contorno.

4. **Observa** Usa ahora la bolsa en vez del vaso. Repite los pasos 2 y 3.

¿Qué descubriste?

1. ¿Cambiaron de forma los objetos cuando los moviste?

2. **Predice** ¿Tendrían la misma forma los objetos si los metieras en una caja?

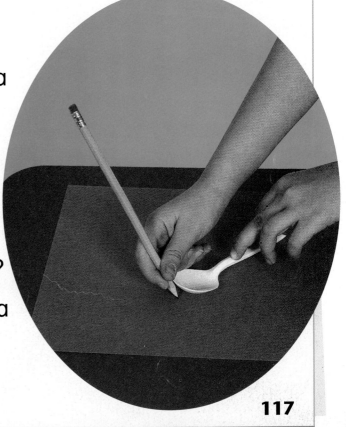

¿Qué son los sólidos?

En la *Actividad de exploración* viste que
la moneda y la cuchara son sólidos.
Un sólido tiene forma y tamaño.
Un sólido mantiene su forma y su tamaño.
No cambia de forma ni de tamaño por sí solo.

Todos los sólidos están hechos de materia.

Todos los sólidos ocupan espacio.

Los bloques y los autos son sólidos.

¿Pueden dos autos estacionar en el mismo espacio al mismo tiempo?

No, porque dos sólidos no pueden ocupar el mismo espacio al mismo tiempo.

¿Qué otras propiedades tienen los sólidos?

Puedes ver y tocar los sólidos.

Eso te ayuda a conocerlos.

Algunos sólidos son suaves.

Otros son duros.

¿Qué otras propiedades tienen?

Usas sólidos todos los días.

Escribes con un lápiz.

Bebes de un vaso.

Te sientas en una silla.

¡Lees este libro!

REPASO

1. ¿Qué es un sólido?

2. ¿De qué están hechos los sólidos?

3. ¿Pueden dos sólidos ocupar el mismo espacio al mismo tiempo?

4. **Observa** Nombra dos propiedades de los sólidos.

5. **Piensa y escribe** ¿Qué sólidos usas todos los días?

Tema
CIENCIAS FÍSICAS
4

¿Por qué es importante?

Usamos líquidos todos los días.

Vocabulario

líquido materia que no tiene forma propia

Líquidos

¡Uy! La leche se derramó.

El vaso no se rompió.

El niño puede recoger el vaso.

¿Qué pasó con la leche?

INVESTIGA

¿Por qué el niño no puede recoger la leche?

¿Tiene forma el agua?

Comprueba si el agua mantiene
su forma. Escribe las respuestas
en tu diario.

Necesitas

• **2 vasos de diferentes tamaños**

• **agua**

• *Diario científico*

¿Qué hacer?

1. Sirve un poco de agua en un vaso.

2. **Describe** Dibuja en tu diario la forma del agua en el vaso.

3. Sirve un poco de agua en el otro vaso. Dibuja la forma del agua.

4. **Compara** ¿Son las formas iguales?

¿Qué descubriste?

1. **Observa** ¿Mantiene el agua la misma forma?

2. **Infiere** ¿Qué forma toma el agua? ¿Cómo lo sabes?

123

¿Qué son los líquidos?

En la *Actividad de exploración* el agua
no mantuvo su forma.
No tenía la misma forma en los dos vasos.
El agua no es un sólido.
Es un líquido.
Los líquidos no tienen forma propia.
Los líquidos toman la forma del recipiente
en que se encuentran.

Todos los líquidos están hechos de materia.

Todos los líquidos ocupan espacio.

Puedes ver y tocar los líquidos.

Puedes pasar un líquido
de un recipiente a otro.

¿Qué ocurre con la forma del líquido
cuando lo haces?

¿Qué propiedades tienen los líquidos?

Los líquidos tienen propiedades.

Unos son espesos.

Otros son claros.

¿Qué otras propiedades tienen estos líquidos?

GEOGRAFÍA CONEXIÓN · Científica Mente

¿Qué líquido cubre gran parte de la Tierra?

Usamos muchos líquidos en nuestra vida.

Todo lo que bebemos es líquido.

Nos bañamos en un líquido.

Nadamos en un líquido.

La lluvia es un líquido.

REPASO

1. ¿Tiene un líquido forma propia?

2. ¿Qué forma tiene un líquido?

3. ¿De qué están hechos todos los líquidos?

4. **Mide** ¿Cómo probarías que los líquidos ocupan espacio como los sólidos?

5. **Piensa y escribe** ¿Qué líquidos bebes? ¿En qué se parecen? ¿En qué se diferencian?

Tema
CIENCIAS FÍSICAS
5

¿Por qué es importante?

Respiramos gases.

Vocabulario

gas materia que no tiene forma ni tamaño propios

Gases

¿Alguna vez viste un globo tan grande como éste? Lleva a la gente a las alturas. ¡Qué viaje más divertido!

INVESTIGA
¿Qué hay dentro del globo?

¿Existe el aire?

¿Puedes atrapar lo que no se ve? Descúbrelo. Escribe las respuestas en tu diario.

Necesitas

- bolsa de plástico
- tira para cerrar la bolsa
- globo
- *Diario científico*

¿Qué hacer?

1. Abre la bolsa y agítala.

2. Cierra la bolsa y átala.

3. Aprieta la bolsa.

4. **Observa** Dibuja la bolsa y describe qué pasa al apretarla.

5. Infla el globo. Mantenlo cerrado, sujetándolo con una mano. Repite los pasos 3 y 4 con el globo.

¿Qué descubriste?

1. **Compara** ¿Pasó lo mismo con la bolsa y con el globo? ¿Por qué?

2. ¿Qué atrapaste en el globo y en la bolsa?

¿Qué son los gases?

En la *Actividad de exploración*
viste que el aire existe.
Puedes atraparlo
en un globo.
Puedes atraparlo
en una bolsa.
Puedes notar el aire.
Sabes que ocupa espacio.

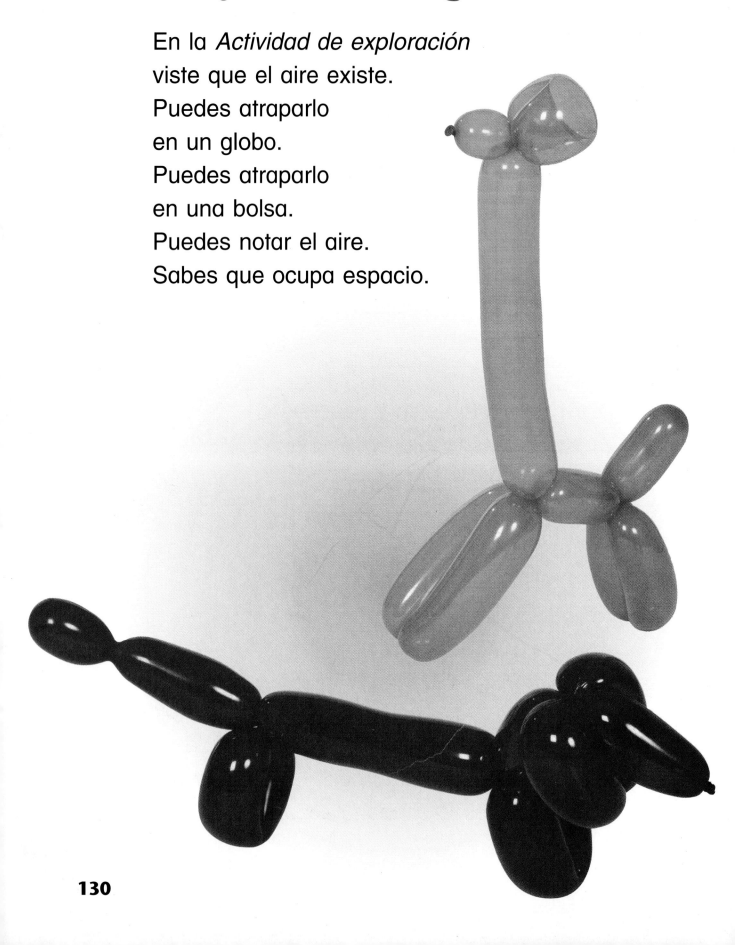

El aire está hecho de diferentes gases.

Los gases no tienen forma ni tamaño propios.

Los gases llenan todo el espacio posible.

Todos los gases están hechos de materia.

Todos los gases ocupan espacio.

¿Qué propiedades tienen los gases?

Casi todos los gases son invisibles.
Ser invisible es una de sus propiedades.
Cuando el viento sopla puedes ver
lo que hace el aire.
¡Puedes sentir el aire en tu pelo!

Los gases están
a tu alrededor.
Forman el aire.
Tú respiras aire.
Necesitas aire para vivir.

REPASO

1. ¿De qué está hecho el aire?

2. ¿Qué ocupan los gases?

3. ¿Cómo sabes que hay gases a tu alrededor?

4. **Infiere** ¿Qué harías con un papalote para probar que el aire existe?

5. **Piensa y escribe** Algunos juguetes tienen aire adentro. Haz una lista de juguetes que tengan aire adentro.

¿Por qué es importante?

El calor cambia los sólidos y los líquidos.

Vocabulario

derretirse pasar de sólido a líquido

La materia cambia

Mira el muñeco.

¿De qué está hecho?

¿Es un sólido?

¿Cómo lo sabes?

INVESTIGA

¿Qué le pasará al muñeco de nieve?

¿Puede un sólido pasar a líquido?

El hielo es un sólido. ¿Qué le pasa al hielo en un lugar cálido? Escribe las respuestas en tu diario.

Necesitas

- cubito de hielo
- vaso
- *Diario científico*

¿Qué hacer?

1. Escribe tu nombre en el vaso.

2. Pon el cubito de hielo en el vaso.

3. Pon el vaso en un lugar cálido o al sol.

4. **Observa** Espera 15 minutos. ¿Qué le pasa al cubito?

5. **Anota** Escribe en tu diario qué sucede.

¿Qué descubriste?

1. ¿Qué le pasó al cubito de hielo?

2. **Infiere** ¿Qué lo hizo cambiar?

¿Qué es "derretirse"?

En la *Actividad de exploración* viste que el hielo puede convertirse en agua líquida. Para hacerlo tiene que derretirse. Derretirse es pasar de sólido a líquido. ¿Qué se está derritiendo en la foto?

¿Por qué se derrite el hielo?

Por el calor.

El calor calienta las cosas.

El calor cambia las cosas.

El calor convierte los sólidos en líquidos.

¿Por qué se derrite un helado?

¿Qué más hace el calor?

El calor también cambia los líquidos.
El calor del sol calienta el agua
de los charcos.
Esa agua se convierte en gas.
Un gas que no puedes ver.
El gas sube hacia las nubes.
El gas se convierte en agua otra vez.
El agua de las nubes puede caer en forma
de lluvia.

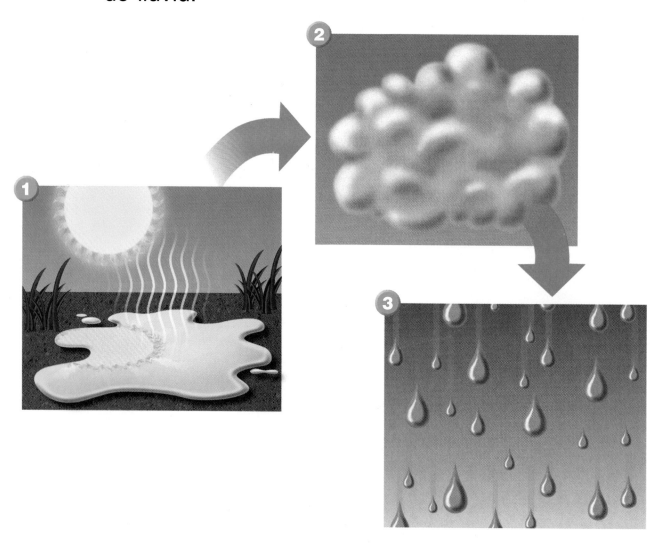

Si los sólidos no cambiaran, la nieve
y el hielo nunca se derretirían.
Si los líquidos no cambiaran,
los charcos nunca se secarían.
¿Qué otras cosas
no se secarían?

REPASO

1. ¿Qué pasa cuando un sólido se derrite?

2. ¿Por qué se derrite el hielo?

3. ¿Qué puede hacer el calor?

4. **Infiere** ¿Por qué se derrite un muñeco de nieve?

5. **Piensa y escribe** ¿Adónde va el agua de los charcos?

139

¿Cómo se hacen los creyones?

¿Qué forma tiene un creyón?

¿Es siempre largo y fino?

¡No!

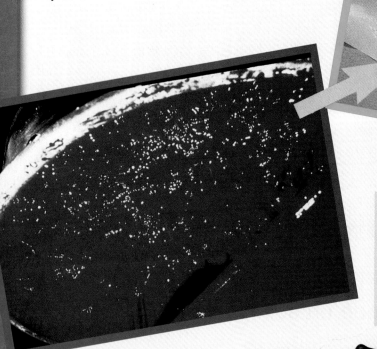

2 La cera se mezcla con polvos de colores. En cada cubeta hay un color.

1 Al principio los creyones son cera sólida. Al calentarse, la cera se vuelve líquida. Entonces se vierte.

3 La cera caliente se echa en un molde con tubitos.

4 La cera de cada tubito se enfría y se vuelve sólida. ¡Ahora es un creyón!

5 Luego se pega una etiqueta en cada creyón. En las cajas se pone un creyón de cada color. ¡Ya podemos colorear!

COMENTA

I. ¿Es sólida o líquida la cera cuando está muy caliente? ¿Por qué?

2. ¿Cómo harías creyones redondos o de otras formas?

Usa el vocabulario

derretirse

gas

líquido

sólido

1. Un ___?___ es materia que no tiene forma ni tamaño propios. página 131

2. Un ___?___ es materia con forma y tamaño. página 118

3. Un sólido se convierte en líquido al ___?___. página 136

4. Un ___?___ es materia que no tiene forma propia. página 124

Usa conceptos científicos

5. ¿Es sólida una computadora? páginas 118–120

6. Nombra dos propiedades de las piedras. páginas 118–120

7. ¿Pueden dos niños ocupar el mismo espacio al mismo tiempo? página 119

8. ¿Tiene un jugo forma propia? página 124

9. ¿Cómo sabes que el aire existe? páginas 129-132

10. **Infiere** ¿Qué pasa con el agua cuando un charco se seca? página 138

Caja de soluciones

Duras y más duras Escoge cinco piedras. ¿Cómo puedes probar cuál es la más dura? Ordénalas en fila y pon las más duras adelante.

Usa el vocabulario

| gas   materia   medir   derretir   propiedades |

1. Al ___?___ descubres el tamaño de una cosa.

2. Suave, pequeño y negro son las ___?___ de algunos gatitos.

3. Todo está hecho de ___?___.

4. Los globos están llenos de ___?___.

5. El calor puede ___?___ el hielo.

Usa conceptos científicos

6. ¿Qué son las monedas: sólidos, líquidos o gases?

7. La bandera se mueve. ¿Qué la mueve?

8. ¿Qué tiene más materia: una bicicleta o un autobús?

9. Nombra varios líquidos.

10. **Mide** ¿Qué ancho tiene esta página? Usa sujetapapeles.

Escribe en tu diario

¿Qué ves aquí?

Caja de soluciones

Manos, lápices y sujetapapeles

Usa diferentes objetos para medir tu libro. Usa un lápiz, sujetapapeles y tus manos. Mide con cada objeto. ¿Cuántos usaste de cada uno para medir? Haz una gráfica como la que se muestra aquí. Completa la gráfica.

Pinta con los dedos

Escoge dos pinturas de colores distintos y mézclalas.
¿Qué propiedad cambió?

¡EN MOVIMIENTO!

CAPÍTULO 7
EMPUJAR Y JALAR

Tema

CIENCIAS FÍSICAS

1

¿Por qué es importante?

Las palabras de posición te ayudan a saber dónde están las cosas.

Vocabulario

moverse ir de un lugar a otro

posición lugar donde está un objeto

comunicar hablar, escribir o dibujar

Posición

¿Qué pasó aquí?

¿Otra travesura del gato?

¿Se movió algo?

INVESTIGA

¿Cómo sabes que algo se movió? ¿Qué cambió?

¿Qué se movió?

Descubre si algo se movió. Escribe las respuestas en tu diario.

Necesitas

- objetos pequeños

- *Diario científico*

¿Qué hacer?

1. Un compañero o compañera pone objetos sobre tu escritorio.

2. **Observa** Mira los objetos. Recuerda dónde están.

3. Cierra los ojos. Tu compañero o compañera moverá un objeto.

4. Abre los ojos. ¿Qué objeto se movió? Anótalo.

5. Por turnos, jueguen 3 veces más.

¿Qué descubriste?

¿Cómo sabes qué objeto se movió?

¿Qué pasó?

En la *Actividad de exploración* viste que
los objetos pueden moverse.
Moverse es ir de un lugar a otro.

Los objetos se mueven desde una posición a otra.
La posición es el lugar donde está un objeto.

Una niña está dentro del círculo.
Un niño está fuera del círculo.

Ahora los
dos niños
están dentro
del círculo.

¿Cambió alguien de posición?
¿Cómo lo sabes?

¿Dónde están los animales?

¿Qué animal está dentro de la bolsa de su madre?

¿Qué animal está junto a su madre?

Dentro y *junto* son palabras de posición.

Te indican dónde está una cosa.

Te ayudan a comunicarte.

Te comunicas cuando hablas, escribes o dibujas.

Oso polar y cachorro

Canguro con su cría

Comunicar

¿Cómo te ayudan las palabras de posición? Escribe las respuestas en tu diario.

Necesitas

- lápiz
- bola de plastilina
- *Diario científico*

¿Qué hacer?

1. Coloca el lápiz y la plastilina delante de ti.

2. Tu maestro o maestra te dirá cómo tienes que moverlos.

3. ¿Qué palabras de posición te ayudaron a moverlos?

¿Qué descubriste?

1. ¿Cómo te ayudaron las palabras de posición?

2. Comunica ¿Conoces otras palabras de posición?

¿Cómo se mueve la niña?

¿Qué pasó aquí?
¿Cómo cambió el sonido?

Las palabras de posición te ayudan.
Te ayudan a encontrar cosas,
decir dónde están las cosas
o saber adónde ir.

REPASO

1. ¿Qué es la posición?

2. ¿Qué es moverse?

3. **Piensa y escribe** ¿Cómo cambia un objeto de posición?

4. **Comunica** Dibuja un gato debajo de una mesa.

5. Dibuja un objeto. Muestra cómo cambia de posición.

Tema

CIENCIAS FÍSICAS

2

¿Por qué es importante?

La fuerza mueve las cosas de maneras diferentes.

Vocabulario

empujar alejar un objeto

jalar acercar un objeto

fuerza algo que hace mover un objeto

Los objetos se mueven

¿Conoces este juego? Se llama fútbol.

¡Es muy divertido! La pelota se mueve muy rápidamente.

¿Qué la hace mover así?

INVESTIGA

¿Qué hace mover un objeto? ¿Qué formas de moverlo se te ocurren?

¿Cómo mueves un objeto?

Busca formas de mover objetos. Escribe las respuestas en tu diario.

Necesitas

- **pelota de papel**
- **vaso**
- **lápiz**
- **pelota**
- **creyones**
- **cinta adhesiva opaca**
- **popote**
- *Diario científico*

¿Qué hacer?

1. **Observa** Empuja un objeto con la mano. ¿Se mueve?

   ◪ **¡TEN CUIDADO!** No empujes muy fuerte.

2. Pon cinta adonde llegue.

3. **Observa** Sopla con el popote sobre el objeto. ¿Se mueve?

4. **Mide** Pon cinta adonde llegue.

5. Prueba con otros objetos.

¿Qué descubriste?

1. ¿Cómo moviste los objetos?

2. **Compara** ¿Qué objetos llegaron más lejos con la mano? ¿Qué objetos llegaron más lejos con el popote?

¿Cómo se mueven los objetos?

Si empujas puedes mover el carrito.
Empujar es alejar un objeto de ti.
El niño empuja el carrito.

En la *Actividad de exploración* viste
que puedes mover objetos al empujarlos.

empujar - - - →

Si **jalas** puedes mover el carrito.
Jalar es acercar un objeto hacia ti.
La mamá jala el carrito.

Puedes mover un objeto al empujarlo
o al jalarlo.
Empujar o jalar es aplicar una **fuerza**.
Una fuerza hace que un objeto
se mueva.

jalar

¿Por qué la caja no se mueve?

A veces necesitas hacer mucha fuerza
para mover un objeto.

NATIONAL GEOGRAPHIC

CURIOSA MENTE

Los imanes jalan algunas
cosas al atraerlas.
Pueden atraer sujetapapeles.
Prueba con diferentes imanes.
¿Cuál jala más fuerte?

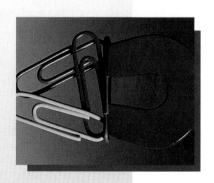

La rueda gira y gira.

Empujas para que gire.

Jalas para subirte.

Y tú también puedes girar.

REPASO

1. ¿Qué hace mover un objeto?

2. ¿Qué es empujar?

3. ¿Qué es jalar?

4. Comunica Explica qué pasa en el dibujo.

5. Piensa y escribe ¿Qué cosas empujaste hoy? Haz una lista.

¿Por qué es importante?

Los objetos tienen partes que les sirven para moverse.

Vocabulario

parte porción de un objeto

todo todas las partes juntas

¿Qué son las partes?

¿Hiciste algún viaje?
¿Qué llevaste?

Juana se va de viaje.
Tiene que llevar su valija.

INVESTIGA

¿Qué valija es más fácil de llevar?
¿Cómo lo sabes?

MATEMÁTICAS
CONEXIÓN

¿Cómo ayudan las partes a mover las cosas?

Agrégale partes a un juguete para cambiar cómo se mueve. Escribe las respuestas en tu diario.

Necesitas

• **auto de juguete**

• **cinta adhesiva opaca**

• *Diario científico*

¿Qué hacer?

1. Empuja el auto sin las ruedas.

2. Pon cinta adonde llegue el auto.

3. Empuja el auto 3 veces más, desde el mismo lugar. Pon cinta adonde llegue.

4. Ponle las ruedas al auto.

5. Empújalo otra vez. Pon cinta adonde llegue.

¿Qué descubriste?

1. ¿Cómo cambiaste el auto?

2. **Compara** ¿Cuándo llegó más lejos el auto? ¿Cómo lo sabes?

161

¿Cómo ayudan las partes a mover las cosas?

En la *Actividad de exploración* viste que las ruedas cambian cómo se mueve un auto.

Las ruedas son partes.

Una parte es una porción de un objeto.

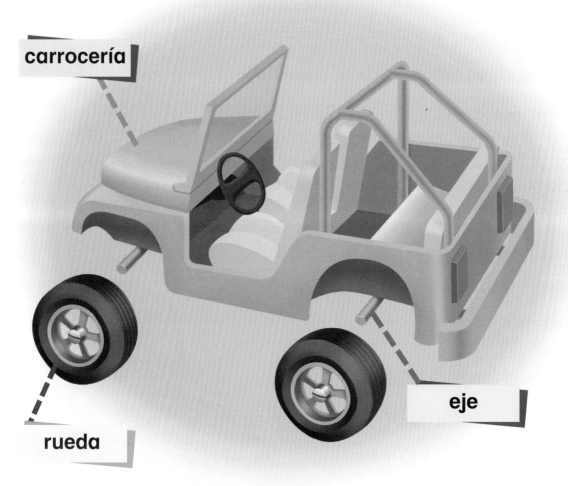

carrocería

eje

rueda

La carrocería del auto es una parte.

Las ruedas son otra parte.

Todas las partes juntas forman el todo.

¿Cómo ayudan las partes a mover el auto?

¿Qué partes ves en el dibujo?

¿Cómo ayudan las partes a mover el barco?

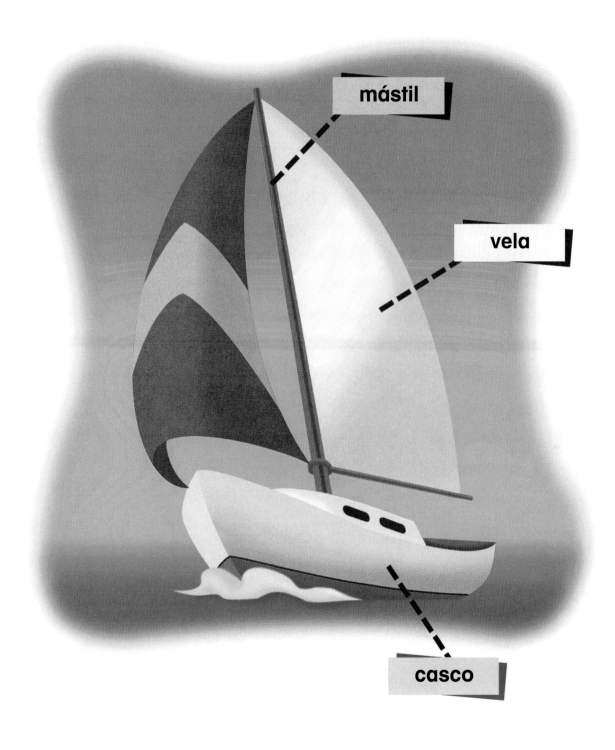

mástil

vela

casco

¿Qué lo movió?

Las ruedas son partes de estos carritos.
Las ruedas los ayudan a moverse.
¿Qué más debes hacer para que estos
carritos se muevan?

Puedes agregar partes para cambiar cómo se mueven las cosas.

¿Cómo ayudan las rueditas al niño a andar en bicicleta?

REPASO

1. ¿Qué es una parte?

2. ¿Qué es el todo?

3. ¿Qué hace mover los objetos?

4. **Comunica** Dibuja un barco y rotula sus partes. ¿Cómo lo ayudan a moverse?

5. **Piensa y escribe** ¿A qué le pondrías ruedas? ¿Por qué?

Las partes trabajan juntas

¿Por qué es importante?

Las partes trabajan juntas para ayudar a mover las cosas.

¿Quieres hacer volar un papalote? ¡Allá vamos!

Mira cómo vuela por el aire.

Mira cómo saluda con su cola.

¡Sujeta bien la cuerda!

INVESTIGA

¿Cuáles son las partes de un papalote? ¿Cómo se mueve?

¿Puede un papalote volar sin cola?

MATEMÁTICAS CONEXIÓN

Un papalote vuela en el aire.
¿Necesita una cola para volar?

Necesitas

- patrón de papalote
- tijeras
- creyones
- cuerda
- papel crepé
- lápiz
- *Diario científico*

¿Qué hacer?

1. Calca el patrón del papalote.

2. Recorta tu papalote y coloréalo.

3. Haz dos agujeros en las esquinas con la punta de un lápiz. Pasa la cuerda y ata un nudo.

4. Dobla los lados hacia arriba.

5. Haz volar el papalote.

6. Ponle la cola y hazlo volar otra vez.

¿Qué descubriste?

1. ¿El papalote voló mejor con o sin cola?

2. **Infiere** ¿Qué hace volar a un papalote?

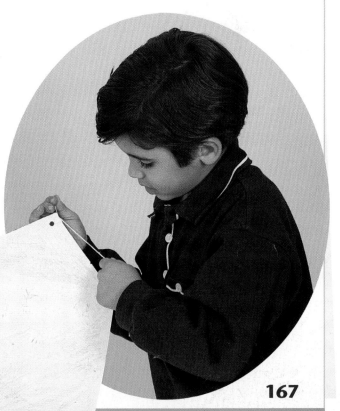

¿Cómo trabajan juntas las partes?

En la *Actividad de exploración* el papalote voló.
Sus partes trabajaron juntas.

Mira todas estas partes.
¿Qué hace cada una?
¿Qué se forma al juntar todas las partes?

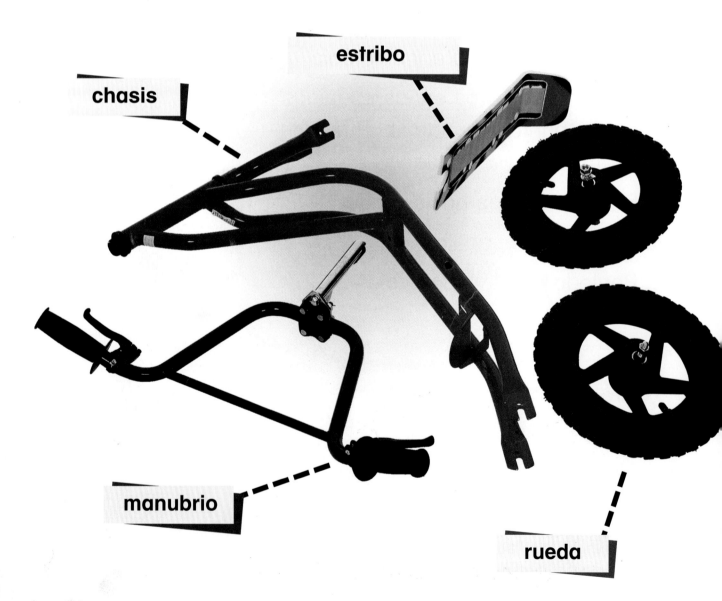

chasis

estribo

manubrio

rueda

Todas las partes juntas forman una patineta.
¿Qué partes giran?
¿En qué parte puedes pararte?
Sólo una fuerza hará mover la patineta.

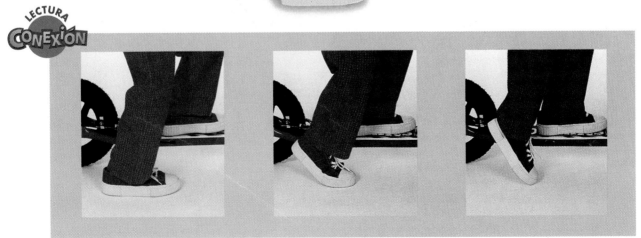

¿Qué tipo de fuerza hace la niña?

¿Por qué no anda?

¿Puede andar la patineta con una sola rueda?
¿Puede andar sin estribo?
Una patineta necesita todas sus partes para andar bien.
¿A qué objetos les falta una parte?

Casi todos los objetos
tienen muchas partes.
Cada parte hace
una tarea.
Pero todas funcionan
juntas.
Forman un todo.

Tu cuerpo también tiene
muchas partes.

REPASO

1. ¿Cómo se mueve una patineta?

2. ¿Qué pasaría si a un juguete
le faltara una parte?

3. ¿Andaría una patineta sin
una rueda?

4. **Observa** ¿Funcionará
la bicicleta?
¿Por qué?

5. **Piensa y escribe** Nombra una parte
del cuerpo.

Lo que el viento se llevó

¿Por qué vuela un papalote?
¡Porque el viento lo levanta y lo
empuja! Suelta un poco de cuerda
para que el papalote suba más alto.
Unos palitos de madera dan forma
al papalote. Algunos papalotes
tienen cola.

Ciencia, tecnología y sociedad

Mira los distintos papalotes. Busca las partes que son iguales.

A un velero también lo mueve el viento. Sus grandes velas recogen el aire y el aire empuja el barco. ¿Qué pasa cuando una vela gira? La dirección del velero cambia.

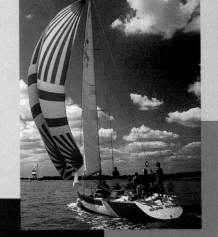

Comenta

1 ¿Qué podría pasarle a un papalote sin cola?

2 ¿Qué otras cosas puede mover el viento?

173

Usa el vocabulario

comunicarse
empujar
fuerza
jalar
moverse
parte
posición
todo

1. El lugar donde está un objeto se llama ___?___. página 148

2. Una ___?___ es una porción de un objeto. página 162

3. ___?___ es alejar un objeto. página 156

4. Empujar o jalar es aplicar una ___?___. página 157

5. Todas las partes forman el ___?___. página 162

6. ___?___ es acercar un objeto. página 157

7. Ir de un sitio a otro es ___?___. página 148

8. Hablar es una manera de ___?___. página 150

Usa conceptos científicos

9. ¿Qué tipo de fuerza usas para mover una patineta? páginas 156-157

10. **Comunica** Dibuja un gato sobre una caja.

Caja de soluciones

¡Mueve un libro! Usa tus lápices. Pon la punta de un lápiz debajo de un libro. Pon otro lápiz debajo del primero. Empuja el primer lápiz hacia abajo. ¿Qué pasa?

CAPÍTULO 8
¿QUÉ SE MUEVE?

Tema
CIENCIAS DE LA VIDA
5

¿Por qué es importante?

Las partes ayudan a los seres vivos a moverse.

¿Cómo se mueven los seres vivos?

¿Puedes pensar en un mundo donde nada se mueva?

Donde mires, ves cosas moverse.

La gente se mueve.

Los animales se mueven.

INVESTIGA

¿Qué cosas se mueven solas?
¿Qué cosas necesitan que algo las mueva?

Tú y un títere

¿En qué se parecen tú y un títere?
¿En qué se diferencian?

Necesitas

- partes de un títere
- broches
- cuerda
- popote
- *Diario científico*

¿Qué hacer?

1. Decora las partes del títere para que se parezca a ti.

2. Une las partes del títere.

3. Jala la cuerda. ¿Qué pasa?

4. Muévete. Salta. Brinca.

5. Haz que el títere se mueva igual.

¿Qué descubriste?

1. ¿Qué partes del títere pueden moverse?

2. **Compara** ¿En qué se parecen tú y tu títere? ¿En qué se diferencian?

¿Cómo se mueven los seres vivos?

Te mueves cuando saltas, corres o brincas.
En la *Actividad de exploración* viste que un
títere no puede moverse solo.
Necesita que lo muevan.

En este parque se mueven muchas cosas.
¿Cuántas cosas se mueven solas?
¿Cuántas cosas necesitan que las muevan?

179

¿Cómo se mueven los animales?

Los seres vivos se mueven de muchas maneras.

El león corre y salta. La serpiente se arrastra en zigzag. El delfín nada. La mariposa vuela.

¿Cómo te mueves tú?

mariposa

león

serpiente

delfín

180

Los animales usan muchas partes del cuerpo
para moverse. Esas partes trabajan juntas.
Pueden empujar y jalar.
Pero sin fuerza, no podrían moverse.
¿Qué partes usas para moverte?

REPASO

1. ¿Cómo se mueve un títere?

2. ¿Cómo se mueve una mariposa?

3. ¿Cómo te mueves tú?

4. **Observa** ¿Qué se mueve solo?
   ¿Qué necesita que lo muevan?

5. **Piensa y escribe** ¿De cuántas maneras
   te moviste hoy?

Tema
CIENCIAS DE LA VIDA
6

¿Por qué es importante?

Algunos seres vivos necesitan moverse para vivir.

Vocabulario

necesidades cosas que los seres vivos deben satisfacer

Los seres vivos necesitan moverse

¿Cómo ayuda el pájaro a sus crías?

Los pajaritos tienen hambre.

Todavía no saben volar.

No pueden buscar su comida.

INVESTIGA

¿Por qué se mueven los seres vivos?

¿Cómo consiguen los pájaros su comida?

¿Qué hacer?

Necesitas

- elásticos

- *Diario científico*

1. Tu maestro o maestra esconderá elásticos que serán gusanos.

2. Uno de ustedes será la mamá o papá pájaro. Otros 3 serán sus crías.

3. **Haz un modelo** Mamá o papá pájaro lleva gusanos a sus pajaritos.

   ▨ **¡TEN CUIDADO!** No te lleves los elásticos a la boca.

4. Escribe cuántos gusanos encontró el pájaro.

5. 2 pájaros buscarán comida.

6. ¿Cuántos gusanos encontró cada pájaro esta vez?

¿Qué descubriste?

1. ¿Cómo encontró comida el pájaro?

2. **Infiere** ¿Cuándo fue más fácil para el pájaro encontrar comida?

183

¿Para qué se mueven los animales?

En la *Actividad de exploración* el pájaro
se movió para encontrar comida. Los animales
se mueven para satisfacer sus necesidades.
Las necesidades son cosas que los seres vivos
deben satisfacer para poder vivir.
Comida, agua y refugio son necesidades.

rana

mapache

pájaro

Algunos animales se ponen
al sol para sentir calor.

iguana

Otros buscan la sombra para refrescarse.

gato

Científica Mente

¿Para qué otras cosas
se mueven los animales?

¿Para qué te mueves?

¿Te mueves para buscar comida?
¿Para buscar bebida?
¿Te mueves para otras cosas?
¿Te mueves cuando juegas?

Los animales se mueven para satisfacer
sus necesidades.
Moverse los ayuda a vivir.
También a ti te ayuda moverte.
¿Cómo sería el mundo si nada se moviera?

REPASO

1. ¿Qué son las necesidades?

2. ¿Para qué se mueven los animales?

3. ¿Para qué se mueven las personas?

4. **Infiere** ¿Qué hace el tigre en el agua?

5. **Piensa y escribe** ¿Te moviste hoy?
   ¿Para qué?

¡A toda prisa!

¿Cuál es el animal que corre más
rápidamente?
El guepardo.
Los guepardos viven en África.
Son animales en peligro de extinción.

El antílope también corre muy rápidamente.
Vive en África.
Los antílopes pueden escapar de
los pumas hambrientos.

**guepardo
112 km (70 mi)**

Conexión con Matemáticas

Los caballos viven en muchos lugares.
Algunos son muy rápidos en las carreras.
Otros corren sólo para divertirse.

persona
45 km (28 mi)

El zorro rojo vive en los bosques.
Corre para atrapar a los ratones
y conejos que come.

COMENTA

1. ¿Qué animal corre más rápidamente,
   el gato o el zorro?

2. ¿Por qué unos animales son más
   rápidos que otros?

gato doméstico
48 km (30 mi)

zorro
67 km (42 mi)

antílope
98 km (61 mi)

NÚMEROS
**Los números nos dicen
cuánto corre cada
animal en una hora.**

**El colibrí vuela muy rápidamente.
Bate sus alas 78 veces por segundo.**

Usa conceptos científicos

1. Nombra tres necesidades de los animales. página 184

2. ¿Qué necesitas para vivir? páginas 184-186

3. ¿Cuál de estas cosas se mueve sola? páginas 178-179

a)   b)

4. ¿Qué animal puede volar? página 180

5. ¿Qué animal puede saltar? página 180

6. ¿Qué animal puede nadar? página 180

7. ¿De qué maneras te mueves? página 178

8. ¿Para qué te mueves? página 186

9. ¿Para qué se mueven los animales? páginas 184-185

10. **Comunica** Dibuja un animal que pueda volar.

CAJA de SOLUCIONES

Empuja y jala Mira en el cuarto.
¿Qué puedes mover si jalas?
¿Qué puedes mover si empujas?
Haz una lista.

Usa el vocabulario

moverse	necesidad	parte	jalar	empujar

1. ___?___ es alejar un objeto.

2. Una rueda es ___?___ de una bicicleta.

3. ___?___ es ir de un lugar a otro.

4. La comida es una ___?___ de los animales.

5. ___?___ es acercar un objeto.

Usa conceptos científicos

6. Nombra una manera de comunicarte.

7. ¿Cómo se mueve un pez?

8. ¿Qué necesitan los perros cuando tienen sed?

9. ¿Qué parte del cuerpo te ayuda a caminar?

10. **Comunica** Dibuja una pelota sobre una mesa.

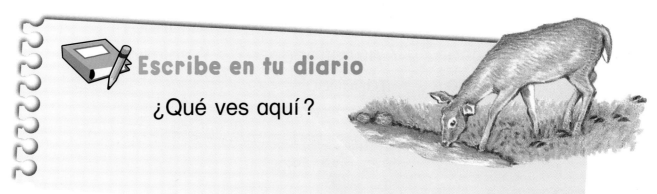

Escribe en tu diario

¿Qué ves aquí?

CAJA de SOLUCIONES

¡Cuánto tráfico!

¿En qué posición está cada cosa?

El auto amarillo está adelante.

Los pájaros vuelan encima.

¿En qué posición están las demás cosas?

¿Puedes describir cada posición?

Carrera de animales

En sus puestos.
Preparados.
¡Ya!

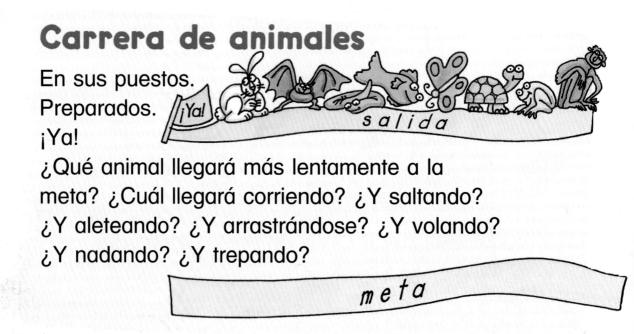

¿Qué animal llegará más lentamente a la meta? ¿Cuál llegará corriendo? ¿Y saltando? ¿Y aleteando? ¿Y arrastrándose? ¿Y volando? ¿Y nadando? ¿Y trepando?

EL ESTANQUE

CAPÍTULO 9

EN EL ESTANQUE

Tema
CIENCIAS DE LA VIDA
1

¿Por qué es importante?

Muchas plantas y animales viven en los estanques.

Vocabulario

estanque agua rodeada de tierra

hábitat lugar donde las plantas y los animales viven y crecen

clasificar organizar por grupos

En el estanque

¿Has visto alguna vez un estanque? Mira la foto. ¿Dónde crecen las plantas? ¿Cuántos animales descubriste? ¿En qué parte del estanque están los animales?

INVESTIGA

¿Crees que un estanque sería un buen hogar?

194

¿Por qué el estanque es un buen hogar?

Descubrirás por qué algunos animales y plantas viven en estanques.

Necesitas

- tarjetas ilustradas
- *Diario científico*

¿Qué hacer?

1. **Observa** Mira las tarjetas.

2. ¿Dónde está cada animal?

3. ¿Qué hace cada animal? Escribe las respuestas en tu diario.

¿Qué descubriste?

1. **Infiere** ¿Qué encuentra cada animal en el estanque?

2. **Infiere** ¿Por qué el estanque es un buen hogar para los animales que viven en él?

¿Qué es un estanque?

Un estanque es agua rodeada de tierra.
Es más pequeño que un lago y menos profundo.
En los estanques viven muchas plantas
y animales. En la *Actividad de exploración* viste
sólo algunos. Hay plantas que crecen en medio
del estanque. Otras, en sus orillas.

¿Dónde viven los animales del estanque? El lugar donde las plantas y los animales viven y crecen es su hábitat. El hábitat les da todo lo que necesitan para vivir.

Las plantas necesitan la luz del sol, agua y un lugar para crecer. Los animales necesitan comida, agua y refugio.

¿En qué se parecen los animales del estanque?

Puedes clasificar los animales según su número de patas. Clasificar significa organizar las cosas por grupos.

¿Qué animales tienen cuatro patas? ¿Cuáles tienen seis? ¿Puedes clasificar los animales de otra manera?

tejedor

mapache

tortuga

libélula

Clasificar

Verás diferentes formas de clasificar los animales del estanque.

Necesitas

- tarjetas ilustradas
- *Diario científico*

¿Qué hacer?

1. **Clasifica** Haz dos grupos de tarjetas: "animales que viven en el agua" y "animales que viven en la tierra". Anota los grupos en tu diario.

2. **Clasifica** Haz un nuevo grupo con animales que vivan en los dos lugares.

3. **Clasifica** Agrupa los animales por la forma en que se mueven.

4. Busca otra forma de agruparlos.

¿Qué descubriste?

1. **Compara** ¿En qué se parecen los animales? ¿En qué se diferencian?

2. ¿Cómo clasificaste los animales?

¿Quién vive en el estanque?

Por todo el estanque viven animales. Hay almejas en el lodo, los peces nadan y los insectos caminan por el agua. Los pájaros hacen nidos en las plantas. Las tortugas pasean en la orilla. Las ranas saltan por los lirios de agua.

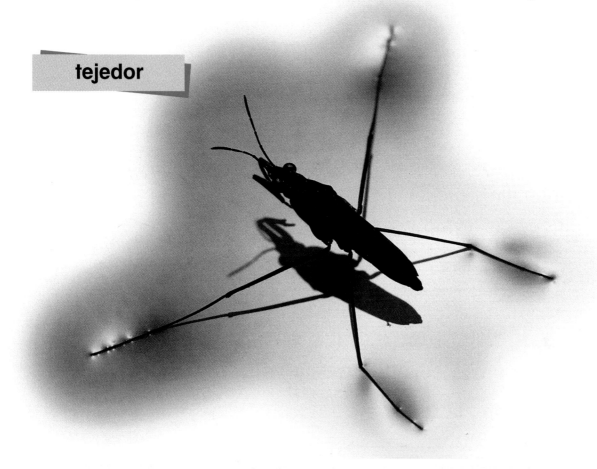

tejedor

NATIONAL GEOGRAPHIC

CURIOSA
MENTE

Los escarabajos se meten en el agua. Comen insectos y peces, ¡pero no muerden! ¿Qué animal come escarabajos?

Un estanque es el hogar de muchas plantas y animales. Allí crecen, encuentran comida y viven.

Tú tienes un hogar. ¿Por qué es importante tu hogar?

REPASO

1. ¿Qué es un estanque?

2. ¿Qué es un hábitat?

3. **Piensa y escribe** ¿Por qué un estanque es un buen hábitat para un animal?

4. **Clasifica** Haz una lista de los animales del estanque. Clasifícalos en "con alas" y "sin alas".

5. Dibuja un estanque. Muestra los animales que viven en diferentes partes del estanque.

Tema
CIENCIAS DE LA VIDA
2

¿Por qué es importante?

Las cosas inanimadas también son parte del estanque.

Vocabulario

cosas inanimadas
no crecen, no respiran y no necesitan comida

Partes inanimadas del estanque

¿Has visto un estanque de cerca? Ésta es tu oportunidad.

Mira el agua. ¿Qué ves? ¿Qué más ves en la foto? ¿Puedes enumerar las partes de un estanque?

INVESTIGA
¿Qué necesitas para hacer un estanque?

¿Cómo puedes hacer un estanque?

En esta actividad harás un modelo de estanque. Escribe las respuestas en tu diario.

Necesitas

- tazón
- piedritas
- tierra
- cuchara
- agua
- *Diario científico*

¿Qué hacer?

1. Pon algunas piedritas en el tazón.

2. Agrega tierra. Empújala hacia abajo.

3. Aplana la tierra con un poco de agua.

4. Haz un pequeño hoyo en la tierra.

5. Pon agua en el hoyo.

   ▨▨▨ ¡TEN CUIDADO! Lávate las manos.

¿Qué descubriste?

1. ¿De qué está hecho tu estanque?

2. ¿Qué forma tiene?

¿Qué cosas inanimadas hay en un estanque?

En la *Actividad de exploración* viste que en un estanque no sólo hay agua. En el fondo hay lodo, tierra, arena y piedras de diferentes tamaños.

Las piedras, la tierra, el agua y la luz del sol son cosas inanimadas. Las cosas inanimadas no crecen, no respiran y no necesitan comida.

Las plantas necesitan cosas inanimadas para crecer. Necesitan agua, luz y tierra. Un estanque tiene todas esas cosas.

Las plantas del estanque crecen en la tierra que está en el fondo del agua. Por no ser profundo, la luz del sol llega a sus hojas.

205

¿Quién hace los estanques?

Las personas hacen estanques en granjas
y patios. Los castores hacen diques
en el agua para formar estanques.
Allí luego hacen sus casas.

castor

Los estanques son diferentes. Algunos tienen el fondo de arena y otros de lodo. Sin las cosas inanimadas, como la tierra, las plantas no crecerían y los animales no tendrían dónde vivir. ¿Qué otras cosas inanimadas necesitas para vivir? ¿Para qué se usa la tierra?

REPASO

1. ¿Cuáles son las partes inanimadas del estanque?

2. ¿En qué parte viven las plantas?

3. ¿Cómo hacen los castores los estanques?

4. **Clasifica** Ordena las partes del estanque en seres vivos y cosas inanimadas.

5. **Piensa y escribe** ¿Por qué los estanques son un buen hábitat para las plantas?

Tema 3
CIENCIAS DE LA VIDA

¿Por qué es importante?

Los animales viven en el estanque aun en invierno.

Vocabulario

congelar transformar el agua en un sólido

Cambios en el estanque

¿Qué estación del año muestra la foto? Si las estaciones cambian, los estanques también cambian. ¿Qué pasó en este estanque? ¿Cómo cambió?

INVESTIGA

¿Dónde están los animales ahora? ¿Todavía vive alguno en el estanque?

¿Dónde viven los animales del estanque en invierno?

Haz un estanque para descubrirlo.
Escribe las respuestas en tu diario

Necesitas

- **tazón pequeño**
- **agua**
- **lápiz**
- *Diario científico*

¿Qué hacer?

1. Llena el tazón con agua.

2. Pon el tazón en el congelador por un rato.

3. **Predice** ¿Qué pasará?

4. **Observa** Saca el tazón. ¿Qué pasó?

5. Haz un agujero en el hielo con un lápiz.
   ¡TEN CUIDADO! Usa el lápiz con cuidado.

¿Qué descubriste?

1. ¿Qué parte del agua se convirtió en hielo?

2. ¿Qué hay debajo del hielo?

3. **Infiere** ¿Cómo sobreviven en invierno los animales del estanque?

¿Cómo cambia un estanque en invierno?

Un estanque cambia con las estaciones.
En invierno, la superficie se puede congelar. Si el agua se congela, se transforma en un sólido.
En la *Actividad de exploración* viste cómo el agua se transforma en hielo.

Los peces y algunos insectos siguen viviendo bajo el agua. El hielo los protege del frío.
Las ranas y las tortugas se meten en el lodo y duermen todo el invierno.

En invierno algunos animales dejan el estanque. Los patos y otras aves vuelan hacia el sur, buscando sitios más cálidos. Algunas plantas mueren y otras pierden sus hojas. Los animales que quedan trabajan mucho para encontrar comida.

¿Cómo cambia el estanque en primavera?

En la primavera, el estanque revive. Los días son más largos y cálidos. Los capullos se abren y las hojas crecen. Las ranas y las tortugas se despiertan y salen del lodo. Los pájaros hacen sus nidos y ponen huevos. Ahora hay mucha comida para los animales.

En los sitios fríos, el agua protege a los animales porque sólo se congela en la superficie. Los animales siguen viviendo debajo del hielo. No camines o patines sobre un estanque. ¡El hielo es muy fino!

Prohibido patinar

REPASO

1. ¿Cómo cambia un estanque en invierno?

2. ¿Qué hacen las ranas en invierno?

3. ¿Qué hacen los peces en invierno?

4. **Clasifica** Agrupa los animales del estanque según como viven en invierno.

5. **Piensa y escribe** Explica cómo cambia un estanque en primavera.

213

Agua por todas partes

Todos los seres vivos
necesitan agua.
¿De dónde viene el agua?
Primero es lluvia o nieve.
La lluvia baja por las pendientes
hasta los arroyos.
Los arroyos llegan a los ríos.
Los ríos llegan al océano.

Una parte de la lluvia penetra en la tierra.
A veces excavamos pozos para sacar agua.

Nosotros usamos mucha agua. ¿Seguirán llenos los lagos y los ríos? Sí, porque la lluvia y la nieve derretida los llenan de agua.

También hay agua en los lagos y en los estanques.

Comenta

¿Cómo usas el agua?

Usa el vocabulario

clasificar
estanque ✓
hábitat
inanimadas ✓
se congela

1. Las cosas ___?___ no crecen, no respiran y no necesitan comida. página 204

2. El agua ___?___ al transformarse en hielo. página 210

3. Un ___?___ es agua rodeada de tierra. página 196

4. Un ___?___ es donde vive un animal. página 197

5. ___?___ es organizar grupos. página 198

Usa conceptos científicos

6. ¿Qué cosa es inanimada? página 204

   a)    b)

7. ¿Dónde crecen las plantas en un estanque? página 196

8. ¿Por qué las plantas pueden crecer en los estanques? página 205

9. ¿Cómo siguen viviendo en invierno los animales del estanque? páginas 210-211

10. **Clasifica** Agrupa las partes de un estanque en "seres vivos" y "cosas inanimadas". páginas 204-205

CAJA de SOLUCIONES

Agua dulce El agua de los estanques es dulce. No es salada como la del mar. ¿Pueden los animales y las plantas del estanque vivir en el mar? Explica.

CAPÍTULO 10
LAS PARTES VIVIENTES DEL ESTANQUE

¿Por qué es importante?

Los animales de un estanque crecen y cambian.

Vocabulario

renacuajo rana joven

Los animales del estanque

¿Cómo eras cuando eras bebé? ¿Eres igual ahora?

Los animales crecen y cambian. Los animales de un estanque también crecen y cambian.

INVESTIGA

¿Cómo cambió este animal?

¿Cómo cambian los animales del estanque?

En esta actividad verás cómo algunos animales cambian al crecer.

Necesitas

- tarjetas ilustradas
- tarjetas con nombres de animales
- bolsa de almuerzo
- *Diario científico*

¿Qué hacer?

1. Escoge una tarjeta con el nombre de un animal.

2. Pon todas las tarjetas ilustradas en la bolsa.

3. Saca una tarjeta. Si muestra tu animal, quédatela. Si no, ponla de nuevo en la bolsa.

4. Juega con todas las tarjetas.

5. Ordena tus tarjetas para ver el cambio del animal al crecer. Anota el orden en tu diario.

¿Qué descubriste?

1. **Concluye** ¿Todos los animales se parecen a sus padres?

2. ¿Cómo cambia un animal al crecer?

¿Cómo cambia una rana al crecer?

En la *Actividad de exploración* viste cómo cambian las ranas al crecer.

1 **Las ranas ponen sus huevos en un estanque.**

2 **Los renacuajos salen de los huevos. Un renacuajo es una rana joven. Los renacuajos viven en el agua, nadan como peces y respiran por las branquias.**

3 Un renacuajo cambia cuando crece. Pierde la cola y le crecen patas.

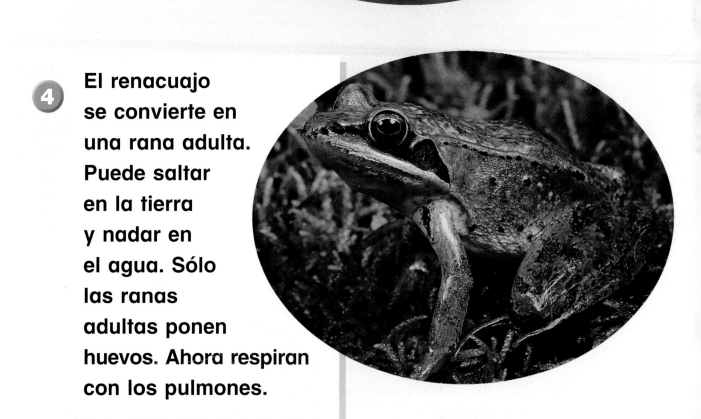

4 El renacuajo se convierte en una rana adulta. Puede saltar en la tierra y nadar en el agua. Sólo las ranas adultas ponen huevos. Ahora respiran con los pulmones.

¿Por qué un estanque es un buen hábitat para las ranas?

221

¿Cómo viven los patos en el estanque?

El estanque también es un buen hábitat para los patos. Los patos nadan con sus patas palmeadas y comen plantas del estanque. Algunos patos meten su cabeza en el agua para comer peces y renacuajos.

En las hierbas altas es seguro hacer nidos. Los patitos salen de sus huevos y nadan en el estanque. La madre los cuida.

CientíficaMente

¿Por qué es seguro hacer nidos en las hierbas altas?

Tú cambias al crecer. Los animales del estanque también cambian al crecer. Necesitan comida para alimentarse y espacio para moverse. Todo lo encuentran en el estanque.

REPASO

1. ¿Cómo se llama la rana joven?

2. ¿De dónde salen los renacuajos?

3. **Piensa y escribe** ¿Dónde viven los renacuajos?

4. **Infiere** ¿Dónde vive un animal con patas palmeadas? ¿Por qué?

5. Dibuja lo que comen las ranas en un estanque.

La comida en el estanque

¿Sabes qué hora es en el estanque? ¡La hora de comer!

¿Ves lo que está comiendo la rana? ¿Cómo crees que consiguió su comida?

¿Por qué es importante?

Cada eslabón de la cadena alimentaria es importante.

Vocabulario
cadena alimentaria
muestra
lo que comen
los animales

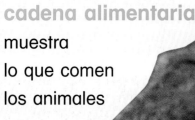

INVESTIGA

¿Cómo consiguen comida los animales del estanque? ¿Qué partes del cuerpo usan?

¿Quién come qué?

MATEMÁTICAS CONEXIÓN

¿Todos los animales del estanque consiguen su comida de la misma manera? Usa modelos para descubrirlo. Escribe las respuestas en tu diario.

Necesitas

- una caja de zapatos
- "comida"
- vasos de papel
- cuchara
- palillo de dientes
- pinza para tender la ropa
- popote
- *Diario científico*

¿Qué hacer?

1. Pon la comida en la caja de zapatos.

2. Con tus herramientas saca la comida de la caja. Ponla en los vasos hasta que no puedas sacar más.

3. Cuenta la comida que conseguiste. Escribe el número.

¿Qué descubriste?

1. **Compara** ¿Qué comida te fue más fácil sacar?

2. ¿Todos sacaron la misma comida? ¿Por qué?

3. **Infiere** ¿Todos los animales del estanque comen la misma comida?

¿Qué comen los animales del estanque?

En la *Actividad de exploración* viste que cada animal come diferente comida. Los patos, renacuajos y otros animales comen plantas. Algunos animales, como los venados, tienen dientes planos para masticar las plantas.

Algunos animales del estanque se alimentan de otros animales. Ellos tienen dientes puntiagudos para rasgar la comida. Otros animales, como los mapaches, comen plantas y animales. Los peces, los pájaros y las ranas comen insectos. Algunos pájaros comen peces.

¿Qué es la cadena alimentaria?

Las plantas hacen comida con la luz del sol. Comen para crecer. Los renacuajos comen plantas. Los escarabajos de agua comen renacuajos. Todos forman parte de una cadena alimentaria. La cadena alimentaria muestra lo que comen los animales.

Las personas compran comida en el mercado. Los animales del estanque sólo comen plantas o animales del estanque. Todos los eslabones de la cadena alimentaria son importantes. Sin plantas no habría comida. Los animales que comen plantas sirven de alimento a los que comen animales.

REPASO

1. ¿Qué es la cadena alimentaria?

2. ¿Por qué es importante el Sol en la cadena alimentaria?

3. **Piensa y escribe** ¿Qué comen los renacuajos?

4. **Clasifica** Agrupa 4 animales del estanque en animales que comen animales y animales que comen plantas.

5. Dibuja la cadena alimentaria de los animales del estanque.

¿Por qué es importante?

Los animales protegen sus vidas de diferentes maneras.

Vocabulario

sobrevivir seguir viviendo

A salvo

¿Ves el insecto palo en la foto? ¿Es fácil de ver? Al insecto palo le gusta estar sobre las hojas. ¿Por qué se llama así este animal?

INVESTIGA

¿Sería más fácil ver al insecto palo sobre una hoja roja? ¿Por qué?

¿Cómo puede el color o la forma proteger a un animal?

Usa un modelo de pez para descubrirlo.
Escribe las respuestas en tu diario.

Necesitas

- periódico
- peces de papel
- *Diario científico*

¿Qué hacer?

1. **Observa** Mira el papel.
   ¿Qué pez de colores ves?

2. **Predice** ¿Cuántos peces crees que hay?

3. **Observa** Mira otra vez el papel. Haz una marca por cada pez. Cuenta las marcas y escribe el número de peces.

¿Qué descubriste?

1. ¿Qué peces fueron fáciles de ver? ¿Por qué?

2. ¿Qué peces fueron difíciles de ver? ¿Por qué?

3. **Infiere** ¿Qué pez puede cazar fácilmente una garza? ¿Por qué?

¿Cómo están a salvo algunos animales?

En la *Actividad de exploración* viste que el color puede proteger algunos animales del estanque.

El pájaro de la foto de arriba es del mismo color que la hierba. ¿Es difícil encontrarlo? ¿Lo verías mejor si fuera rojo?

El color ayuda a los animales a sobrevivir.
Sobrevivir significa seguir viviendo.

Los animales también se esconden para
sobrevivir. La tortuga tiene hambre. Vio
un pececito y quiere comérselo. El pececito
siente el peligro, se esconde bajo
una hoja de lirio y no se mueve.

¿Cómo sobreviven otros animales?

Esconderse no es la única forma de sobrevivir. Las tortugas y las almejas se protegen con sus caparazones.

Otros animales se escapan rápidamente. Las ranas saltan. Los pájaros vuelan.

Sobrevivir no es fácil para
los animales. Deben encontrar
comida. Deben encontrar
formas de protegerse.
Nunca dañes a los animales
del estanque. Puede que
no sobrevivan.

REPASO

1. ¿Cómo protege el color a un animal?

2. ¿Por qué un animal se protege
si se queda quieto?

3. Nombra 2 formas en que sobreviven
los animales de un estanque.

4. **Observa** ¿Qué
animal es más
difícil de
encontrar?
¿Por qué? Ⓐ   Ⓑ

5. **Piensa y escribe** Escoge un animal
y di cómo sobrevive en el estanque.

Cada uno en su casa

Hay plantas y animales en todo el mundo.

Muchos desiertos son calurosos y secos.

Casi nunca llueve en el desierto.

¿De dónde sacan las plantas y los animales el agua que necesitan?

Los cactos la guardan en sus tallos.

En la selva llueve casi todos los días.

Allí crecen muchos árboles y plantas.

También viven muchos animales distintos. La selva es el sitio ideal para los pájaros, los insectos y los monos.

COMENTA

¿Por qué crees que hay más plantas y animales en la selva que en el desierto?

237

Usa el vocabulario

cadena
  alimentaria

renacuajo

sobrevivir

1. Seguir viviendo quiere decir __?__. página 233

2. Un __?__ es una rana joven. página 220

3. La __?__ muestra lo que comen los animales. página 228

Usa conceptos científicos

¿Cómo sobrevive cada animal? páginas 232-234

4.

5.

6.

7.

8. Escribe los nombres de 3 animales que viven en estanques. páginas 226-227

9. ¿Por qué el estanque es un buen hábitat para los patos? página 222

10. **Clasifica** Haz una lista de 7 animales que viven en el estanque. Clasifícalos en 3 grupos: los que viven en la tierra, en el agua y en los dos lugares. página 199

CAJA de SOLUCIONES

El club del estanque Enumera los seres vivos y las cosas inanimadas de un estanque. Tacha uno. ¿Qué les pasaría a los otros si les faltara el que tachaste?

Usa el vocabulario

> cadena alimentaria   congelar   hábitat
> inanimadas   renacuajo

1. Una planta vive en su ___?___.

2. Las piedras son cosas ___?___ porque no comen ni crecen.

3. El agua se puede ___?___ en invierno.

4. Un ___?___ es una rana joven.

5. Una rana se come a una mosca. Un pez se come a la rana. La mosca, la rana y el pez son eslabones de una ___?___.

Usa conceptos científicos

6. ¿Por qué el estanque es un buen hábitat para una rana?

7. Nombra 2 cosas que necesitan todas las plantas.

8. ¿Cómo sobreviven los patos en invierno?

9. ¿Por qué algunos animales se esconden?

10. **Clasifica** Agrupa 4 cosas del estanque en "seres vivos" y "cosas inanimadas".

Escribe en tu diario
¿Qué ves aquí?

CAJA de SOLUCIONES

¿Y este estanque?

¿Qué animales o cosas sobran en este estanque? Explica por qué.

¡Prohibido nadar! Tiburones

Cadena colgante

Haz un colgante con la cadena alimentaria. Escribe el nombre de una planta o un animal en cada tarjeta. Ata las tarjetas. Cuelga la cadena.

UNIDAD
6

EL CUERPO HUMANO: ¿CÓMO ERES?

CAPÍTULO 11

TÚ CRECES Y CAMBIAS

¿Por qué es importante?

Necesitas cosas para crecer fuerte y sano.

Crecer y cambiar

¿Cómo cambiarán estos animales? Crecerán y serán como sus padres.

Las estaciones y el tiempo cambian. Las rocas cambian. Las plantas y los animales también cambian. Casi todo cambia.

INVESTIGA

¿Te acuerdas cuando no podías sentarte, ponerte de pie o caminar? ¿Cómo cambiaste?

¿Cómo cambiaste?

Mira tu cuerpo para saberlo. Escribe las respuestas en tu diario.

Necesitas

• **tus medidas al nacer**

• *Diario científico*

¿Qué hacer?

1. **Observa** Mira los dibujos. ¿Cómo cambió la persona?

2. Ahora escribe sobre ti. ¿Cuándo naciste? ¿Cuánto medías? ¿Cuál era tu peso?

3. ¿Qué cosas hacías cuando eras bebé?

¿Qué descubriste?

1. **Concluye** ¿Cómo cambiaste desde que naciste?

2. **Infiere** ¿Seguirás cambiando? ¿Cómo?

243

¿Creces y cambias?

En la *Actividad de exploración* viste cómo
la gente crece y cambia al hacerse mayor.
¿Cómo sabes que creces?

Éstas son algunas pistas. La ropa te queda
pequeña. Necesitas zapatos más grandes.
Se te caen los dientes de leche. Te cortas
el pelo y las uñas, pero vuelven a crecer.

244

Es fácil ver cómo creces por fuera.
Pero también creces por dentro.
Esto no lo ves, entonces ¿cómo lo sabes?
Hay pistas que te lo dicen.

¿Eres más alto o alta que antes? Eso es
porque tus huesos crecen. ¿Pesas más?
Cuando una parte de tu cuerpo crece, tú pesas
más. Con los años, tu cuerpo cambiará mucho.

¿Cómo usamos los números?

Al crecer te haces más grande. Los animales también crecen. Los números te dicen cuánto miden los animales cuando son adultos.
No necesitas ver a los animales.
Sólo mira los números.

La tabla muestra cuánto miden algunos animales. ¿Cuál mide más?

Animal	¿Cuánto mide?
castor	91 centímetros
zorrillo	38 centímetros
mapache	61 centímetros
gato	56 centímetros

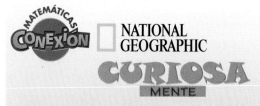

NATIONAL GEOGRAPHIC

CURIOSA MENTE

El cuello de una jirafa mide 6 pies de largo y tiene 7 huesos. Cada hueso mide 11 pulgadas. ¿Cuánto mide tu cuello?

Usar los números

En esta actividad mostrarás con números que has crecido.

Necesitas

- cinta de medir
- *Diario científico*

¿Qué hacer?

1. ¿Cuánto medías al nacer? Anótalo en tu diario.

2. Mide Pide a un compañero o compañera que mida tu estatura. Escribe el número.

3. Mide Ahora mide a tu pareja. Él o ella debe escribir el número.

¿Qué descubriste?

1. Compara ¿Cuánto medías al nacer y cuánto mides ahora?

2. Usa los números ¿Qué te dicen los números?

¿Qué pasa al hacerte mayor?

Tu cuerpo seguirá creciendo hasta que tengas 18 ó 20 años. ¿Qué personas de estas fotos seguirán creciendo?

Tu cuerpo cambia al hacerte mayor. Pero tu mente puede aprender cosas nuevas durante toda tu vida.

¿Qué necesitas para crecer fuerte y sano?
Necesitas cuidarte: comer comida sana,
hacer ejercicio y descansar mucho.

REPASO

1. ¿Qué partes de ti están creciendo?

2. ¿Cómo sabes que tus huesos están creciendo?

3. ¿Qué puedes hacer para crecer fuerte y sano?

4. **Usa los números** ¿Cuántos dientes de leche se te cayeron?

5. **Piensa y escribe** ¿Cómo cambiaste desde que eras bebé?

Crecer

Este cachorro es como su madre, pero más chico. Cuando crezca también se parecerá a su madre. Otros animales cambian mucho cuando crecen.

¿Sabías que las orugas
son mariposas pequeñas?
La oruga come y crece.
Un día deja de comer
y se cuelga de una rama.
La piel se le cae y debajo hay una
envoltura dura llamada crisálida.
Después la crisálida se abre
y... ¡sale una linda mariposa!

Comenta

**Piensa en tu animal favorito.
¿Cómo cambia al crecer?**

Usa el vocabulario

estatura
peso

1. Al decir cuánto mides, dices tu ___?___.
   página 247

2. Al decir cuánto pesas, dices tu ___?___.
   página 243

Usa conceptos científicos

3. ¿Qué les pasa a tus dientes de leche?
   página 244

4. ¿Qué partes de tu cuerpo vuelven a crecer después de cortarlas? página 244

5. ¿Cómo sabes que tus huesos crecen?
   página 245

6. ¿Qué le pasará a tu cuerpo después de los 18 ó 20 años? página 248

7. ¿Dejarás de aprender alguna vez? página 248

8. ¿Qué te ayuda a crecer sano? página 249

9. Describe cómo crees que serás a los 10 años.

10. **Usa los números** ¿Cuántos dientes se te han caído? página 246

CAJA de SOLUCIONES

Cosas que cambian Mantén una lista de las cosas que más te gustan. ¿Cambias la lista con frecuencia?

CAPÍTULO 12
TÚ, POR
DENTRO
Y POR FUERA

Tema

EL CUERPO HUMANO

2

¿Por qué es importante?

Los huesos y los músculos nos ayudan a movernos.

Vocabulario

esqueleto armazón formado por los huesos del cuerpo

músculo parte del cuerpo que mueve un hueso al jalarlo

articulación parte del cuerpo donde se juntan varios huesos

Tu cuerpo por dentro

¿Has jugado alguna vez al *softball*? Te paras en la base. Agarras fuerte el bate. Lo levantas. Aquí viene la pelota. Ahora bateas. ¡Pum! La pelota vuela.

INVESTIGA

El bate movió la pelota. ¿Sabes qué te movió a ti?

¿Qué hace que tu mano sea tan fuerte?

Escribe las respuestas en tu diario.

Necesitas

- **radiografía**
- *Diario científico*

¿Qué hacer?

1. Traza tu mano en tu diario.

2. **Observa** Toca tu mano y tus dedos. Dibuja el interior de tu mano.

3. Compara tu dibujo con la radiografía.

¿Qué descubriste?

1. ¿Qué hace que tu mano sea tan fuerte?

2. **Infiere** ¿En qué se parecen tus manos y tus pies?

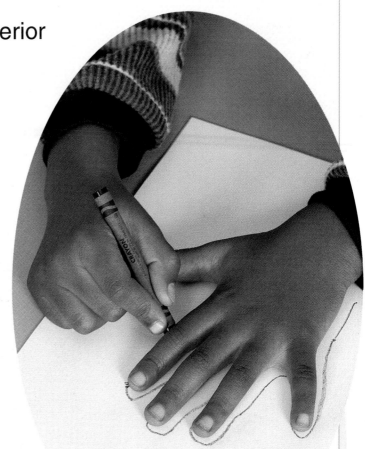

¿Qué te sostiene?

El armazón sostiene a una casa. ¿Qué te sostiene a ti? ¡El **esqueleto**! El esqueleto es un armazón formado por huesos. En la *Actividad de exploración* viste que dentro de tu mano hay huesos. ¿Sientes los huesos de tu cabeza, brazos y pecho? ¿Cómo son?

Tus huesos le dan forma a tu cuerpo.

Algunos huesos ayudan a proteger partes internas.

Al crecer los huesos, tú también creces.

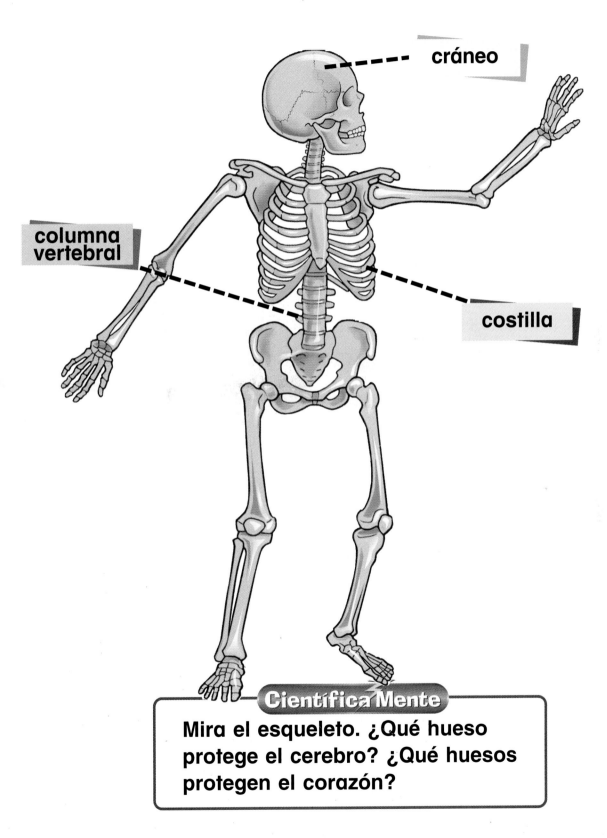

cráneo

columna vertebral

costilla

CientíficaMente

Mira el esqueleto. ¿Qué hueso protege el cerebro? ¿Qué huesos protegen el corazón?

¿Qué son las articulaciones y los músculos?

Tus huesos no pueden moverse solos. Los mueven tus **músculos**. Un músculo es la parte del cuerpo que mueve un hueso al jalarlo. Los músculos mueven los huesos de tus piernas cuando corres. También mueven los huesos de tu mano cuando saludas con ella.

Los músculos hacen otras tareas. Le dan forma a tu cuerpo. También protegen tus huesos y partes internas.

hueso

Los huesos son duros. No se doblan porque se pueden romper. El lugar donde se juntan los huesos se llama **articulación**. Las articulaciones se mueven cuando los músculos mueven los huesos. Dobla el brazo. Gira la cabeza. Cierra el puño. Estás usando algunas de tus articulaciones.

Este músculo jala el hueso. El hueso se mueve y la articulación también.

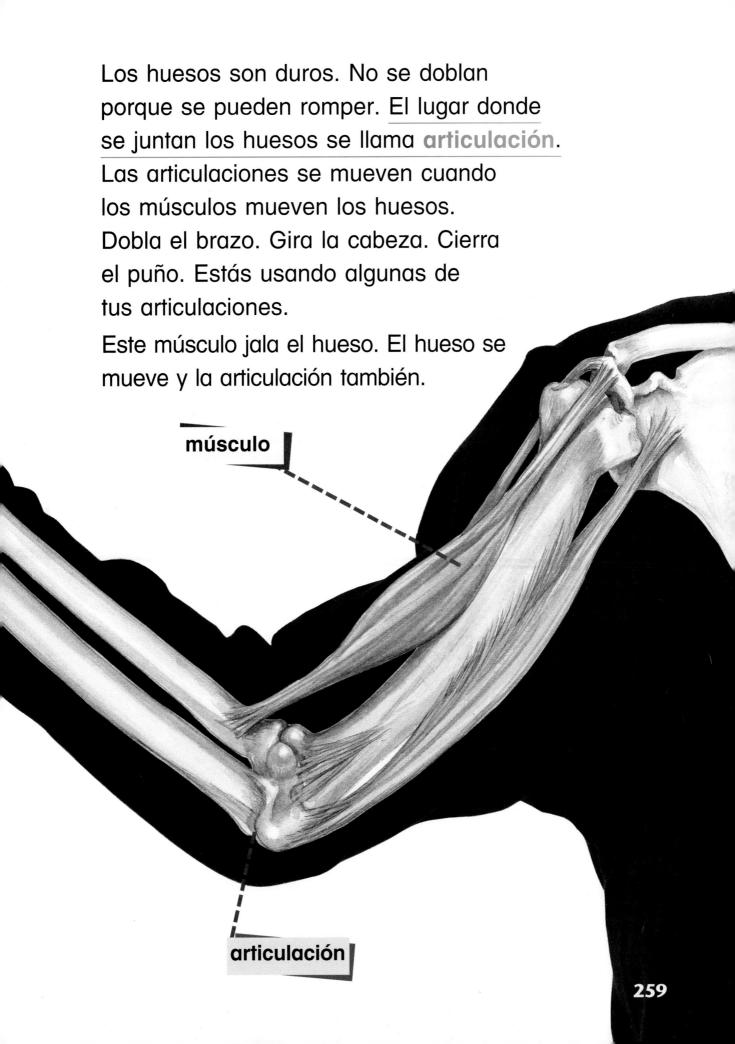

músculo

articulación

¿Cómo te mueves?

¿Qué mueve tus piernas cuando corres?
Los músculos. Los músculos jalan
los huesos de tus piernas y las articulaciones
se doblan con cada paso que das.

Los músculos, las articulaciones y los
huesos son como un equipo.
Trabajan juntos para que tú te muevas.

Los huesos, las articulaciones y los músculos de tu cuerpo te llevan adonde quieres ir. Algunos alimentos ayudan a que tus huesos y músculos crezcan. Correr y saltar ayuda a fortalecer los huesos y músculos.

REPASO

1. ¿Para qué te sirven tus huesos?

2. ¿Qué mueve tus huesos?

3. ¿Cómo puedes hacer más fuertes tus huesos y músculos?

4. **Infiere** ¿Qué músculos usas para jugar a la pelota?

5. **Piensa y escribe** Explica cómo se doblan tus piernas.

Tema
EL CUERPO HUMANO

3

¿Por qué es importante?

Tenemos que cuidar nuestra piel.

Vocabulario

piel tejido que cubre tu cuerpo y te ayuda a tocar y sentir

gérmenes pequeños seres vivos que pueden enfermarte

Tu cuerpo por fuera

¿Qué cubre por fuera estas cosas? ¿Qué envolturas son blandas? ¿Cuáles son duras? ¿Qué más puedes decir sobre las envolturas de estas cosas?

¿Qué te cubre por fuera?

ACTIVIDAD DE EXPLORACIÓN

¿Qué puedes ver en tu piel?

En esta actividad observarás tu piel de cerca. Escribe las respuestas en tu diario.

Necesitas

- lupa
- lápiz
- *Diario científico*

¿Qué hacer?

1. Traza tu mano en tu diario.

2. **Observa** Mira el dorso de tu mano con una lupa. Dibuja lo que ves.

3. Aprieta fuerte una mano contra la otra. ¿Qué sientes?

¿Qué descubriste?

1. **Compara** ¿Son iguales todas las partes de tu mano? Explica tu respuesta.

2. **Identifica** ¿Qué crece en tu piel?

3. **Infiere** ¿Qué sentiste en el paso 3?

263

¿Qué es la piel?

En la *Actividad de exploración* viste cómo es la **piel** de cerca. La piel cubre tu cuerpo y te ayuda a tocar y sentir. La piel es lisa y suave. También es fuerte. Puedes apretarla y pellizcarla. Puedes mojarla y rascarla.

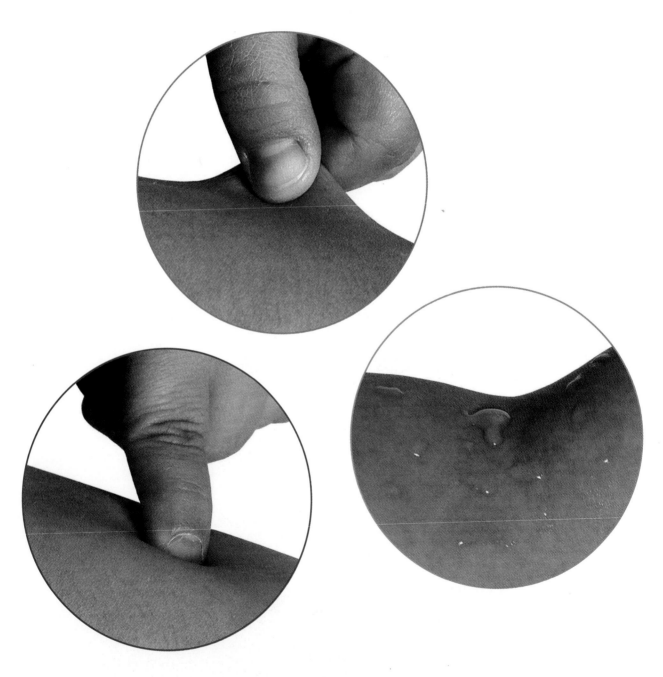

Si te haces un corte en la piel, te duele.
Por ese corte pueden entrar gérmenes.
Los gérmenes son pequeños seres vivos que
pueden enfermarte. Son tan pequeños que no se
ven. Tu piel te protege de los gérmenes.

Al crecer tus huesos, crece tu piel.

¿Qué hay en la piel?

La piel es delgada, pero hace muchas cosas. Tu piel te ayuda a tocar y a sentir el mundo que te rodea.

¿Sabes dónde nace el pelo? Nace en la piel y crece hacia afuera. Hay algo más que sale de la piel. Es el sudor. El sudor es casi todo agua. Te ayuda a mantenerte fresco.

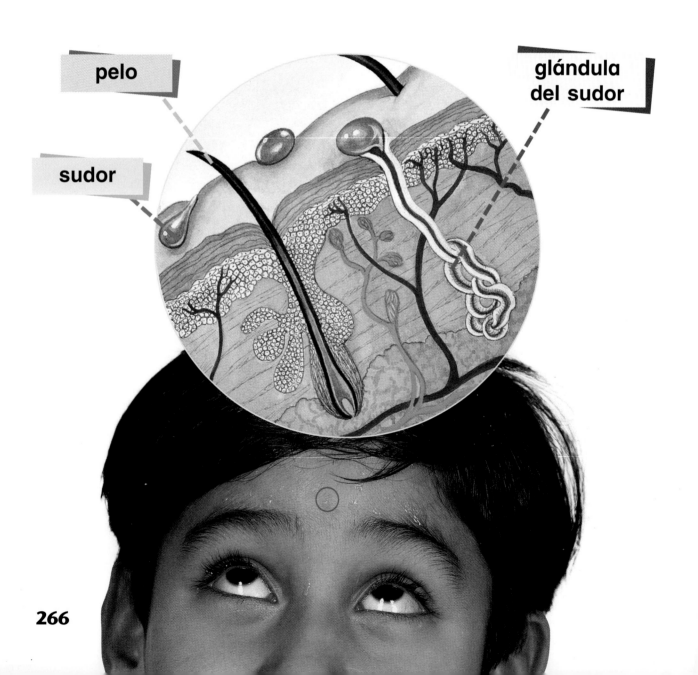

pelo

sudor

glándula
del sudor

Tu piel hace muchas tareas. Es muy importante que cuides tu piel. Tomar mucho sol puede dañarla. ¿Cómo cuida su piel este niño?

REPASO

1. ¿Para qué te sirve la piel?

2. ¿Qué crece en la piel?

3. ¿Qué cosas sientes a través de la piel?

4. **Comunica** Haz una lista de lo que haces para cuidar tu piel.

5. **Piensa y escribe** ¿Por qué sudas cuando corres y juegas?

267

¿CÓMO ERES POR DENTRO?

¿Puedes verte por dentro? No, pero una máquina te lo muestra. ¡Es una máquina de rayos X!

La científica Marie Curie ayudó a descubrir los rayos X. Los rayos X pasan a través de la piel y los músculos, pero no a través de los huesos. Vistos con rayos X, los huesos parecen sombras.

Los dentistas también usan rayos X. ¡Las caries parecen grandes agujeros!

Los médicos toman imágenes de huesos rotos. Los rayos X muestran dónde se han roto, y un médico los une para curarlos.

Los médicos también toman imágenes con otra máquina que usa imanes para fotografiar partes del cuerpo.

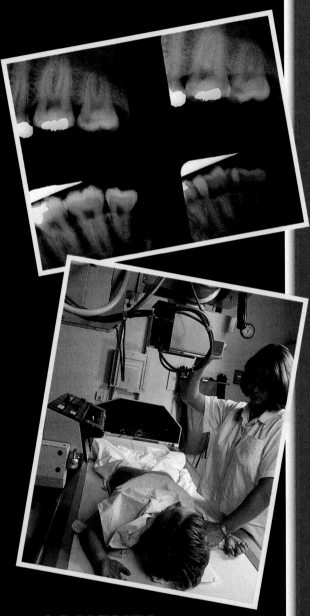

COMENTA

1. ¿Cómo toman los médicos imágenes de tu interior?

2. ¿Por qué los médicos necesitan ver dentro de ti?

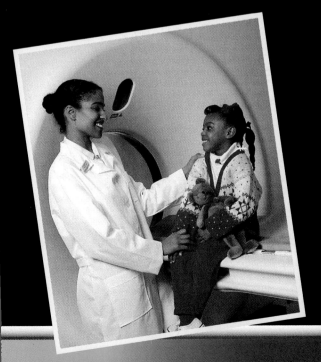

Usa el vocabulario

articulaciones
esqueleto
gérmenes
músculo
piel

1. El __?__ es un armazón de huesos. página 256

2. Los huesos se unen en las __?__. página 259

3. Un __?__ es una parte del cuerpo que puede mover un hueso al jalarlo. página 258

4. La __?__ cubre tu cuerpo. página 264

5. Los __?__ son pequeños seres vivos que pueden enfermarte. página 265

Usa conceptos científicos

Une cada palabra con su dibujo.

pelo   articulación   músculo páginas 258–259, 266

6.    7.   8.

9. ¿Cómo creciste este año? páginas 244–245

10. **Infiere** ¿Por qué te queda pequeña la ropa del año pasado? página 244

CAJA de SOLUCIONES

Mira por dentro Pon tus dedos sobre la luz de una linterna. ¿Ves lo que hay dentro de tus dedos? ¿Ves los huesos de la mano? Dibuja lo que ves.

Usa el vocabulario

gérmenes	estatura	articulación	esqueleto	piel

1. Usas los números para medir tu __?__.

2. Todos tus huesos forman tu __?__.

3. El lugar donde se unen los huesos es una __?__.

4. La __?__ te permite sentir.

5. La piel te protege de los __?__.

Usa conceptos científicos

6. ¿Cómo sabes que has crecido?

7. ¿Qué mueve tus huesos?

8. ¿Cómo haces más fuertes tus músculos?

9. Compara la cáscara de un huevo y tu piel.

10. **Usa los números** Copia la tabla de la derecha. Escribe 112, 50 y 165 en el lugar que corresponda.

Estatura de Anita en cm	
Al nacer	
En primer grado	
Adulta	

Escribe en tu diario

¿Qué ves aquí?

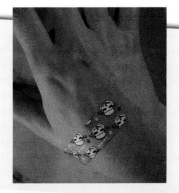

271

CAJA de SOLUCIONES

¡Muévete!

Corre, baila, salta, camina o tócate
los dedos de los pies. ¿Qué partes
del cuerpo moviste? ¿Cuáles doblaste,
torciste o giraste? Haz una lista.

¿Qué mueves?

Elige un juego o deporte que te guste.
Descubre qué partes de tu cuerpo mueves
cuando lo juegas o lo practicas.
Haz un dibujo y di a la clase
qué partes de tu cuerpo mueves.

Sección de Referencia

La vida en un estanque

¿Qué animales ves en el estanque?
¿Qué plantas ves?

BASE

Mira la página siguiente. Levanta las hojas transparentes (1, 2, 3). Se llaman transparencias. La página final es la página base. Mira la base. **¿Qué parte del estanque puedes ver? ¿Qué plantas y animales viven allí?**

TRANSPARENCIA 1

Pon la primera transparencia sobre la página base. **¿Qué se agregó al estanque? ¿Qué animales viven allí?**

TRANSPARENCIA 2

Baja la segunda transparencia. **¿Qué ves ahora?**

TRANSPARENCIA 3

Baja la tercera transparencia. **¿Qué ves ahora?**

RESUMEN

¿Cuáles son las partes del estanque? ¿Qué animales viven en cada parte?

BASE: Empieza por el estanque.

ILUSTRADORES
Actividades

1 Representa

Necesitas: una tiza

Traza la forma de un lago como se ve en esta foto. Hazlo bien grande en el suelo del patio de juegos. Diez compañeros van a diferentes partes del lago. Cada uno de ellos dice en voz alta a qué animal representa.

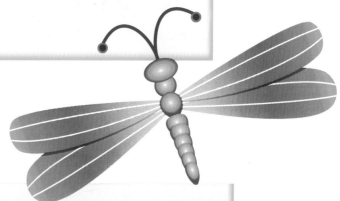

2 Escribe

Elige un "animal" del lago. Escribe sobre él. Cuenta lo que hace en el lago.

SECCIÓN DE REFERENCIA

MANUAL

¡Fuera de peligro!

Debemos estar a salvo de los peligros.

Recuerda estos consejos.

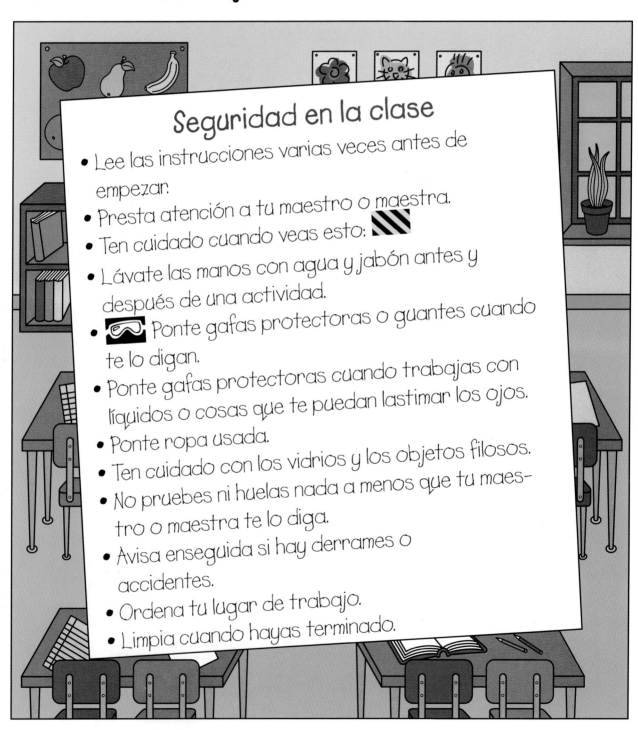

Seguridad en la clase

- Lee las instrucciones varias veces antes de empezar.
- Presta atención a tu maestro o maestra.
- Ten cuidado cuando veas esto:
- Lávate las manos con agua y jabón antes y después de una actividad.
- Ponte gafas protectoras o guantes cuando te lo digan.
- Ponte gafas protectoras cuando trabajas con líquidos o cosas que te puedan lastimar los ojos.
- Ponte ropa usada.
- Ten cuidado con los vidrios y los objetos filosos.
- No pruebes ni huelas nada a menos que tu maestro o maestra te lo diga.
- Avisa enseguida si hay derrames o accidentes.
- Ordena tu lugar de trabajo.
- Limpia cuando hayas terminado.

Seguridad fuera de la clase

- Presta atención a tu maestro o maestra.
- No te alejes del grupo.
- No pruebes ni huelas nada a menos que tu maestro o maestra te lo diga.
- No toques las plantas ni los animales a menos que tu maestro o maestra te lo diga.
- Vuelve a poner los seres vivos donde los encontraste.
- Si hay un accidente, avisa enseguida.

Ahorra y recicla

No debemos malgastar las cosas.

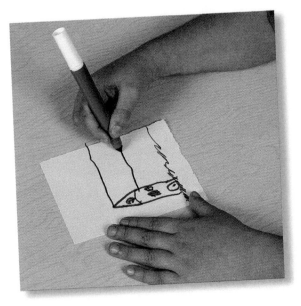

No uses más de lo que necesitas.

No dejes la llave abierta.

Usa las cosas varias veces.

Recicla todo lo que puedas.

Limpia

Debemos limpiar los lugares de trabajo.

Pide a un adulto que recoja los cristales rotos.

Vierte el agua en un fregadero, no en la basura.

No te manches con pintura ni con comida.

Guarda la comida en bolsas de plástico. Así la protegerás.

Cuida las plantas

Haz estas cosas para cuidar las plantas.

- Procura que tengan agua y luz.
- Habla con tu maestro o maestra antes de tocarlas o comerlas. Algunas plantas podrían enfermarte.
- No las arranques ni les cortes las flores. Déjalas crecer donde están.

Cuida los animales

Haz estas cosas para cuidar los animales.

- Dales comida y agua. Búscales un lugar seguro donde vivir.
- Sé amable con ellos. Trátalos con cariño.
- Mira a los animales salvajes, pero no los toques. Pueden morder, picar o arañar.
- No dañes los sitios donde viven los animales.

Mide así

MANUAL

Para medir el largo de algo puedes usar muchas cosas.

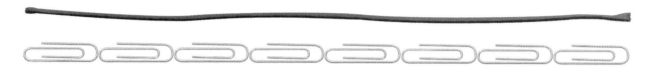

Esta cuerda mide unos 8 sujetapapeles de largo.

Esta cuerda mide unos 3 lápices de largo.

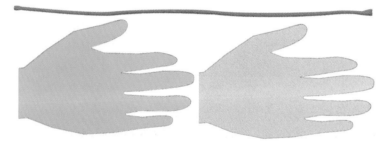

Esta cuerda mide unas 2 manos de largo.

Inténtalo

1. Mide una cuerda. Explica luego cómo lo hiciste.
2. ¿Puedes medir una cuerda con estos sujetapapeles? ¿Por qué?

Unidades de medida

La gente no acostumbra medir con sujetapapeles.

La gente usa centímetros (cm) o metros (m).

Usa unidades de medida.

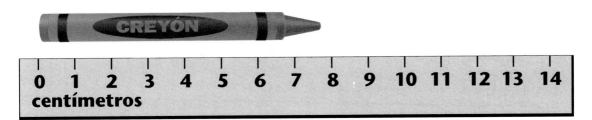

El creyón mide unos ocho centímetros de largo.

Lo anotamos así: 8 cm.

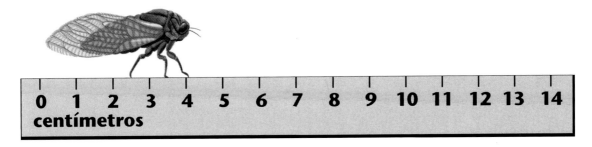

El insecto mide unos 4 centímetros de largo.

Lo anotamos así: 4 cm.

Inténtalo

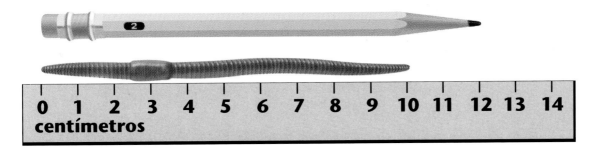

1. ¿Cuánto mide el lápiz de largo?

2. ¿Cuánto mide el gusano de largo?

Usa una regla

MANUAL

Para medir esta hoja puedes usar una regla.

Coloca una punta de la hoja sobre el 0 de la regla.

La hoja mide unos 11 centímetros (11 cm).

Inténtalo

Busca estos objetos.

Estima cuánto miden.

Mídelos con una regla.

	Estimación	Medida
? (lápiz)	unos _?_ cm	unos _?_ cm
? (libro)	unos _?_ cm	unos _?_ cm
? (calculadora)	unos _?_ cm	unos _?_ cm

R10

Usa una vara métrica

La vara métrica tiene 1 metro
(o 100 centímetros) de largo.
Este perro mide casi 1 metro
de alto.

La vara métrica sirve para medir
objetos largos o altos.
Se usa igual que la regla.

Inténtalo

Estima el alto o el largo de estas cosas.
Mídelas con una vara métrica.

	Estimación	Medida
?	unos _?_ m	unos _?_ m
?	unos _?_ m	unos _?_ m
?	unos _?_ m	unos _?_ m

Usa un termómetro

El termómetro mide la temperatura.

Cuando hace más calor, el líquido

del termómetro sube.

Cuando hace más frío, el líquido baja.

¿Qué termómetro marca la temperatura más alta?

¿Cómo lo sabes?

Los termómetros tienen marcas con números.
Este termómetro indica los grados Fahrenheit y los grados Celsius.
Tiene una marca cada 2 grados.

Lee esta temperatura en grados Celsius.
Busca el final del líquido y lee el número que hay justo debajo.
Es el 20.
Cuenta desde 20. Suma 2 grados por cada marca: 22, 24, 26.
El termómetro indica 26 grados Celsius (26 °C).

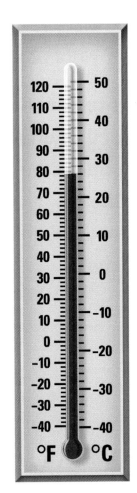

Inténtalo

¿Qué temperaturas aparecen en la página R12?

Usa una taza graduada

El volumen es la cantidad de espacio que ocupa una cosa. La taza graduada sirve para hallar volúmenes.

En esta taza hay 200 mililitros (200 ml) de agua.

Inténtalo

1. Consigue 3 recipientes pequeños.

2. ¿En cuál cabe más?
   ¿En cuál cabe menos?

3. Llena cada uno con agua.
   Vierte el agua en la taza graduada para hallar los volúmenes.

Usa una balanza

Con la balanza se comparan masas.

Primero debes estar seguro de que la aguja señala la línea.

Pon un objeto en cada cubeta. El objeto con más masa hace bajar más su lado de la balanza. Entonces el objeto que tiene menos masa sube.

Inténtalo

1. Pon 2 objetos en una balanza.
2. ¿Cuál tiene más masa?
3. Ordena 3 objetos comenzando por los que tienen menos masa.
4. Usa la balanza para comprobar la masa.

Usa un reloj

El reloj mide el tiempo.

Cada marca indica 1 minuto.

Entre dos números hay
5 minutos.

Una hora tiene 60 minutos.

horario   minutero

Es la una y 30 minutos.
1:30

Son las 9 y 5 minutos.
9:05

Inténtalo

¿Cuánto tardarías en escribir tu
nombre 5 veces? Inténtalo y pide a
un amigo o amiga que mida el tiempo.

Usa una lupa

La lupa hace que los objetos parezcan más grandes.

Úsala de esta manera:

Paso 1: **Aleja la lupa del objeto hasta que veas el objeto borroso.**

Paso 2: **Acerca la lupa hasta que veas bien el objeto.**

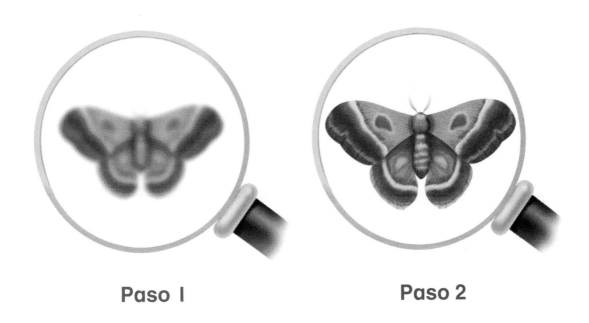

Paso 1   Paso 2

Inténtalo

1. Observa cada animal con una lupa.

araña

mosca

2. ¿Cuántas patas tiene la araña?

3. ¿Qué más ves?

Usa una computadora

La computadora es una herramienta que da información.

Puedes usar el Internet para conectar tu computadora con otras que están lejos.

También puedes usar un CD-ROM.
Es un disco con muchísima información.
¡En un CD-ROM caben montones de libros!

Inténtalo

1. Usa el Internet. Averigua si hace mucho calor donde vives.
2. Usa el Internet. Averigua si hace mucho calor en otro sitio.

Anota y compara

En las tablas se anota información.

Luego puedes usar esa información.

Esta tabla contiene información sobre las
hojas que han encontrado unos niños.

Nombre	Hojas enteras	Hojas dentadas
Marcos	4	6
Kim	5	5
Marta	3	7

Inténtalo

1. ¿Cuántos niños buscaron hojas?
2. ¿Qué tipos de hoja encontraron?
3. ¿Cuántas hojas encontró Marta?

Observa las partes

Las partes de una máquina
trabajan juntas.

Inténtalo

Nombra las partes de cada máquina.

Las partes trabajan juntas

Una máquina necesita todas sus partes para funcionar.

¿Qué partes faltan aquí?

GLOSARIO

A

articulación lugar donde se juntan los huesos *(página 259)*

> **Tu codo se dobla en la** articulación.

C

cadena alimentaria muestra lo que comen los animales *(página 228)*

> **Las plantas son parte de muchas** cadenas alimentarias.

calentar dar calor *(página 53)*

> **Puedes** calentar **agua en la cocina.**

clasificar organizar las cosas por grupos *(página 198)*

> **José** clasificará **sus canicas en grandes y pequeñas.**

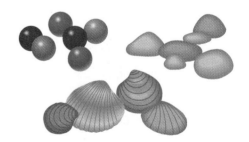

comunicar hablar, escribir o dibujar *(página 150)*

Carlitos se comunica **muy bien con su hermana.**

congelar transformar un líquido en un sólido *(página 210)*

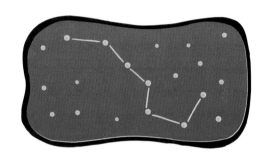

Congelas **el agua para hacer cubitos de hielo.**

constelación figura formada por estrellas *(página 90)*

La Cacerola Grande es una constelación **en el cielo.**

cosas inanimadas no crecen, no respiran y no necesitan comida *(página 204)*

Una roca, una linterna y un lápiz son cosas inanimadas.

D

derretirse pasar de sólido a líquido *(página 136)*

La llama derrite **la vela.**

E

empujar alejar un objeto *(página 156)*

El bebé empuja **el tazón de comida.**

esqueleto armazón formado por huesos
(página 256)

El esqueleto **sostiene el cuerpo.**

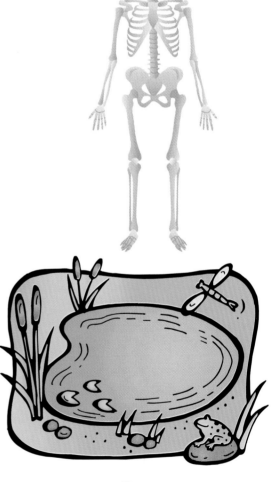

estaciones primavera, verano, otoño e
invierno *(página 72)*

El año tiene cuatro estaciones.

estanque agua rodeada
de tierra *(página 196)*

**Muchos animales y plantas viven
en un** estanque.

estrellas objetos con luz propia que brillan
en el cielo de noche *(página 88)*

Las estrellas **se ven a lo lejos en el cielo.**

GLOSARIO

R24

F

fuerza hace que un objeto se mueva *(página 157)*

El hombre hace fuerza **para empujar el sillón.**

G

gases no tienen ni forma ni tamaño propios *(página 131)*

El aire está hecho de muchos gases**.**

gérmenes pequeños seres vivos que pueden enfermarte *(página 265)*

Los gérmenes **son muy pequeños y no se ven.**

H

hábitat lugar donde las plantas y los animales viven y crecen *(página 197)*

Una cueva es un buen hábitat **para un oso.**

hojas producen el alimento del árbol con la ayuda de la luz *(página 4)*

Las hojas **crecen en las ramas de los árboles.**

I

inferir usar lo que sabemos para comprender algo *(página 54)*

Puedes inferir **adónde fue el perro al observar sus huellas.**

J

jalar acercar un objeto hacia ti *(página 157)*

La niña jala **la cuerda.**

L

líquidos no tienen forma propia *(página 124)*

Puedes llenar una botella de líquido.

Luna roca grande y redonda que da vueltas alrededor de la Tierra *(página 82)*

Tú ves la Luna **de noche.**

M

masa cantidad de materia que hay en un objeto *(página 109)*

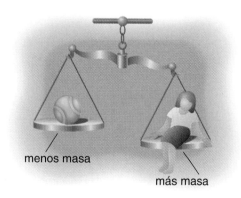

menos masa

más masa

Un objeto que tiene más masa **es más pesado.**

materia cosa de que están hechos todos los objetos *(página 108)*

Diferentes cosas están hechas de materia.

medir hallar el tamaño o la cantidad de algo *(página 102)*

Con una regla puedes medir este libro.

moverse ir de un lugar a otro *(página 148)*

El perro usa sus patas para moverse.

músculo parte del cuerpo que mueve un hueso al jalarlo *(página 258)*

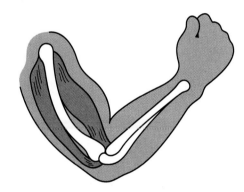

Puedes sentir el músculo de tu brazo.

N

necesidades cosas que los seres vivos deben satisfacer para poder vivir *(página 184)*

El pajarito necesita refugio y comida.

nubes conjunto de gotitas de agua que flotan en el cielo *(página 67)*

Las nubes grises anuncian la lluvia.

O

observar usar los sentidos para aprender algo *(página 6)*

El niño observa la roca.

P

parte porción de un objeto *(página 162)*

Corta una naranja en muchas partes.

piel tejido que cubre el cuerpo y permite tocar y sentir *(página 264)*

Puedes pellizcar tu piel.

plantón planta joven y pequeña *(página 18)*

Planta un plantón.

posición lugar donde está un objeto *(página 148)*

El camión está en una posición diferente a la del auto.

propiedades la apariencia, la textura, el olor, el sabor o el sonido de los objetos *(página 100)*

Una roca tiene muchas propiedades.

R

raíces absorben el agua de la tierra *(página 5)*

Las raíces de un árbol están debajo de la tierra.

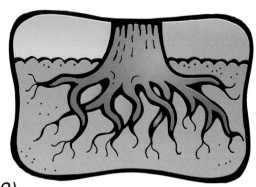

ramas sostienen las hojas *(página 8)*

Los monos se cuelgan de las ramas del árbol.

recurso natural cosa útil que viene de la Tierra *(página 36)*

Debemos cuidar nuestros recursos naturales.

refugio lugar para protegerse *(página 40)*

Pablo y María usan una carpa como refugio.

renacuajo rana joven *(página 220)*

Los renacuajos **crecen para ser ranas.**

S

ser vivo crece y cambia *(página 12)*

Los seres vivos **necesitan comida, aire y agua.**

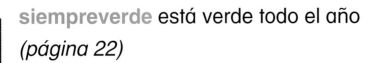

siempreverde está verde todo el año *(página 22)*

Los árboles siempreverdes **son verdes aun en invierno.**

semilla parte de la planta que tiene dentro una planta nueva *(página 18)*

Una manzana tiene semillas.

sombra oscuridad que se forma cuando algo bloquea la luz *(página 60)*

La sombra **de la niña salta cuando ella salta.**

sólido materia que tiene forma y tamaño *(página 118)*

Los bloques de juguete son sólidos.

sobrevivir seguir viviendo *(página 233)*

Algunos animales sobreviven al esconderse.

T

temperatura lo frío o caliente que está una cosa *(página 52)*

La temperatura es alta en verano.

tronco tallo del árbol *(página 8)*

El tronco es la parte más ancha del árbol.

todo todas las partes juntas *(página 162)*

Las partes de un auto forman un todo.

CREDITS

Design & Production: Kirchoff/Wohlberg, Inc.

Maps: Geosystems.

Transvision: David Mager (photography); Michael Maydak (illustration).

Illustrations:
Neesa Becker: pp. 243, 270; Ka Botzis: pp. 204–205, 228; Elizabeth Callen: pp. 4, 5, 8, 12, 13, 14, 15, 90, 153, 159, 170, 171, 174, 190, 192; Barbara Cousins: pp. 257, 265, 270; Mike DiGiorgio: 188–189; Jeff Fagan: 44-45; Kristen Goeters: pp. 30, 46, 111, 114, 142, 143, 144, 191, 199, 200–201, 213, 216, 246, 252, 272; Virge Kask: pp. 4–5, 15, 30, 37, 46, 47, 232, 233, 235, 238; Tom Leonard: pp. 226–227, 240; Claude Martinot: pp. 6, 34, 35, 48, 54, 78, 146, 166, 185, 235, 238; Sharron O'Neil: pp. 196–197, 210–211, 212, 223, 258–259, 266; Monika Popowitz: pp. 43, 108–109; Rob Schuster: pp. 82–83, 84, 94, 96, 138; Sarah Snow: pp. 52–53; Craig Spearing: p. 91; Matt Straub: pp. 56, 60; Ted Williams: pp. 162, 163. Handbook: Batelman: pp. R10, R11, R14, R19; Rita Lascaro: pp. R2, R3, R6, R7; Rob Schuster: pp. R12, R13, R20, R21; Ted Williams: pp. R8, R9, R16–R18. Glossary: Batelman: pp. R22, R25, R28, R30, R31; Eileen Hine: pp. R22, R24, R26, R27, R28, R29, R31; Rita Lascaro: pp. R22, R23, R24, R25, R26, R27, R28, R29, R30, R31.

Photography Credits:
Contents: iii: Ron Thomas/FPG. iv: Telegraph Colour Library/FPG. v: VCG/FPG. vi: Terry Qing/FPG. vii: Gary W. Carter/Visuals Unlimited. viii: Roy Morsch/The Stock Market.

National Geographic Invitation to Science: S2: Christina M. Allen. S3: t, Christina M. Allen; m, Gregory G. Dimijian/Photo Researchers, Inc.; b, Christina M. Allen.

Be a Scientist: S4: James Shnepf/Liaison International. S5: MMSD. S6: Charles Gupton/Tony Stone Images. S7: Jon Muresan/MMD. S8: Jon Muresan/MMD. S9: Steven Peters/Tony Stone Images. S10: David Joel/Tony Stone Images. S11: Bruce Ayres/Tony Stone Images. S12: Richard Hutchings/Photo Researchers, Inc. S13: Superstock. S14: Michael Newman/PhotoEdit. S15: t, Superstock; b, Telegraph Colour Library/FPG. S16: t, B. Daemmrich/The Image Works; b, D. Young-Wolff/PhotoEdit. S17: Image Bank. S18: l, Hunter Freeman/ Liaison International; r, Richard Hutchings/PhotoEdit. S19: l, Superstock; r, Tony Freeman/PhotoEdit. S20: Richard Hutchings/PhotoEdit.

Unit 1: 1: George Ranalli/Photo Researchers, Inc. 2: Debra P Hershkowitz/Bruce Coleman, Inc. 3: David Mager. 5: Gary Braasch/AllStock/PNI. 6: F. Stuart Westmorland/Photo Researchers, Inc. 7: McGraw-Hill School Division. 8: Herbert Kehrer/Okapia/ Photo Researchers, Inc. 9: Sharon Cummings/Dembinsky Photo Assoc. 10: l. Wendell Metzen/Bruce Coleman, Inc.; r. Lance Nelson/The Stock Market. 11: David Mager. 12: Jane Burton/Bruce Coleman, Inc. 13: l. Bill Bachmann/Photo Researchers, Inc.; r. Francois Gohier/Photo Researchers, Inc. 14: l. Robert Planck/Dembinsky Photo Assoc.; r. Brian Yarvin/Photo Researchers, Inc. 16: Joseph Mettis/Photo Researchers, Inc.17: David Mager. 18: l. David Mager; inset, Jerome Wezler/Photo Researchers, Inc. 18–19: Keith Campagna. 19: PhotoDisc. 20: l. Robert P. Carr/Bruce Coleman, Inc.; t. Michael P. Gadomski/Photo Researchers, Inc.; b. John Markham/Bruce Coleman, Inc. 21: t. David Mager; b.l. Jerome Wexler/Photo Researchers, Inc.; b.r. Erwin & Peggy Bauer/Bruce Coleman, Inc. 22: l.&r. Hermann Eisenbeiss/Photo Researchers, Inc. 23: McGraw-Hill School Division. 24: l.&r. Laura Riley/Bruce Coleman, Inc. 25: l.&r. Laura Riley/Bruce Coleman, Inc. 26: l. Joe Bator/The Stock Market; inset, Noble Proctor/Photo Researchers, Inc. 27: Bonnie Rauch/Photo Researchers, Inc. 28: l. Lori Adamski Peek/Tony Stone Images; r. Carolina Biological Supply/Phototake. 29: t. Albinger Mauritius GMBH/Phototake; b. Bob Daemmrich/Stock, Boston/PNI. 31: Jim Cummins/FPG. 32: David Mager. 33: David Mager. 34: PhotoDisc.; m. l.: Antonio M. Rosario/Image Bank. 35: l. Debra Hershkowitz/Bruce Coleman, Inc.; r. Chuck Savage/The Stock Market. 36: Joe Feingersh/The Stock Market. 37: David Mager. 38: Ron Austing/Photo Researchers, Inc. 39: David Mager. 40: t. Karen McGougan/ Bruce Coleman, Inc.; l. Jim W. Grace/Photo Researchers, Inc.; r. Tom & Pat Leesen/Photo Researchers, Inc. 41: l. Alan D. Carey/Photo Researchers, Inc.; r. Mark Boulton/Photo Researchers, Inc.; b. Gregory K. Scott/Photo Researchers, Inc. 42: inset, Gregory K. Scott/Photo Researchers, Inc.; b.r. Stephen J. Krasemann/ Photo Researchers, Inc. 46: Stephen J. Krasemann/Photo Researchers, Inc.

Unit 2: 49: Bill Ross/Westlight. 50: Lawrence Migdale/Photo Researchers, Inc. 51: David Mager. 53: Myrleen Ferguseon/PhotoEdit. 54: l. PhotoDisc; r. RB Studio/The Stock Market. 55: David Mager. 56: t. Richard Hutchings/PhotoEdit; b. Michael Newman/PhotoEdit. 57: Barbara Gerlach/Dembinsky Photo Assoc. 58: David Mager. 59: David Mager. 60: Barry Hennings/Photo Researchers, Inc. 61: Debra P. Hershkowitz. 62: t. Nornert Schafer/The Stock Market; b. Keith Gunnar/Bruce Coleman, Inc./PNI. 63: Sandy King/The Image Bank. 64: David Young-Wolff/ PhotoEdit. 65: David Mager. 66: t.l. Francis/Donna Caldwell/Visuals Unlimited; t.r. C/B Productions/The Stock Market; b.l. David Madison/Bruce Coleman, Inc.; m.r.&b.r. PhotoDisc. 67: t. l. Science VU, t. r. t. Karen McGougan/Bruce Coleman, Inc; b. A & J Verkaik/ The Stock Market. 68: t. Tom McCarthy/PhotoEdit; inset m.r. Bruce Coleman, Inc.; m. John H. Hoffman/Bruce Coleman, Inc.; b. Jeff Greenberg/PhotoEdit. 69: David Mager. 70: David Mager. 71: David Mager. 72: t.l.&b.l. David Mager; t.r. Don Hebert/FPG; b.l. Larry Lefever/Grant Heilman. 73: t.l.&b.r. David Mager; b.l. Mark E. Gibson/Dembinsky Photo Assoc.; t.r. Richard Hutchings/Photo Researchers, Inc. 74: l. Greg Probst/Tony Stone Images; r. Ron Thomas/FPG. 75: Tom Bean/The Stock Market. 79: Zefa/Stock Imagery, Inc. 81: David Mager. 82–83: NASA. 85: David Mager. 86: Jerry Schad/Photo Researchers, Inc. 87: David Mager. 88: Jerry Schad/Science/Photo Researchers, Inc. 89: NASA. 90: John R. Foster/Photo Researchers, Inc.92–93: NASA. 93: t., m., b. Corbis/Bettmann.

Unit 3: p. 97: inset, ZEFA/Stock Imagery, bkgrd, ZEFA/Stock Imagery. 98: David Mager. 99: David Mager. 100: l. Elizabeth Hathon/The Stock Market; r. Jeff Greenberg/Photo Researchers, Inc.; b.l. David Mager. 101: t.l. David Mager; l. Paul Barton/The Stock Market; r. Ken Chemus/FPG. 102: David Mager. 103: David Mager. 104: David Mager. 105: Jane Burton/Bruce Coleman, Inc. 106: David Mager. 107: David Mager. 109: Painting by Larry Foster. 110: David Mager. 111: David Mager. 112: t. Cheryl Hogue/Visuals Unlimited; inset t. Todd Gipstein/ National Geographic Image Collection; b. Raymond Gehman. 113: t.l. A. Farnsworth/The Image Works; t.r. Coco McCoy/Rainbow; m. Lynn M. Stone; b. Spencer Swagner/Tom Stack & Associates. p. 115: David Noble/FPG. 116: l. Michael S. Yamashita/Corbis; r. Louie Psihoyos/The Stock Market. 117: David Mager. 118: David Mager. 119: David Mager. 120: David Mager. 121: David Mager. 122: David Mager. 123: David Mager. 124–125: David Mager. 126: David Mager. 127: Jim Cummins/FPG. 128: Collins/ Monkmeyer 129: David Mager. 130–131: David Mager. 132: l. Kagan/Monkmeyer; r. Jean Miele/The Stock Market. 133: l. David Mager; r. Ariel Skelley/The Stock Market. 134: Jose L. Pelaez/The Stock Market. 135: David Mager. 136: l. Harry Hartman/ Bruce Coleman, Inc.; r. Michael Keller/FPG. 137: Lew Merrim/Monkmeyer. 139: t.r. M.J. Manuel/Photo Researchers, Inc.; b. Craig Lovell/Corbis. 140: Binney & Smith Properties; PhotoDisc. 141: Binney & Smith Properties; PhotoDisc. 144: David Mager.

Unit 4: p. 145: bkgrd, Will Ryan/The Stock Market; inset, Rudi VonBriel/Photo Edit. 146: David Mager. 147: David Mager. 148: David Mager. 149: David Mager. 150: l. Tom McHugh/Photo Researchers, Inc.; r. Mark J. Thomas/Dembinsky Photo Assoc.; 151: David Mager. 152: David Mager. 154: David Madison/Bruce Coleman, Inc. 155: David Mager. 156: David Mager. 157: David Mager. 158: t. David Mager.; b. T.J. Florian/Rainbow. 159: Jeff Greenberg/Photo Researchers, Inc. 160: David Mager. 161: David Mager. 164: t. David Mager; b. Michael Newman/PhotoEdit. 165: George Shelley/The Stock Market. 166: Peter Beck/The Stock Market. 167: David Mager. 168: David Mager. 169: David Mager. 171: Stephanie Rausser/FPG. 172: Peter Cade/Tony Stone Images.173: t.l. Philip John Bailey/Stock, Boston/PNI; m.l. Pete Winkel/Stock South/PNI; t.r. Tony Freeman/PhotoEdit; b.r. Tony Stone Images. 175: inset, Rudi VonBriel/Photo Edit; bkgrd, Fritz Polking/Photo Researchers, Inc.; Manoj Shah/Tony Stone Images. 176: Mark Gamba/The Stock Market. 177: David Mager. 180: t.r. Maslowski/Photo Researchers, Inc.; m.r. Carol Hughes/Bruce Coleman, Inc.; l. Y. Arthus-Bertrand/ Peter Arnold, Inc.; b. Stephen Frink/The Stock Market. 181: Foto Sorrel/Peter Arnold, Inc. 182: Bob & Clara Calhoun/Bruce Coleman, Inc. 183: David Mager. 184: t.l. Kim Taylor/Bruce Coleman, Inc.; t.r. Zefa Germany/The Stock Market; b. Larry Lipsky/ Bruce Coleman, Inc. 185: t. Rob Planck/Bruce Coleman, Inc.; b. J.C. Carton/Bruce Coleman, Inc. 186: David Madison/Bruce Coleman, 'Inc. 187: Renee Lynn/Photo Researchers, Inc. 189: Joe McDonald/Visuals Unlimited.

Unit 5: p. 193: S.R. Maglione/Photo Researchers Inc. 194: Ellan Young/Photo Researchers, Inc. 195: David Mager. 198: t.r. J. C. Carton/Bruce Coleman, Inc.; b.r. Jim Zipp/Photo Researchers, Inc.; t.l. John Shaw/Bruce Coleman, Inc.; b.l. Stan Osolinski/The Stock Market. 199: David Mager. 200: t. Edward R. Degginger/ Dembinsky Photo Assoc.; b. Ken Wilson/Papilio/ Corbis. 201: Wayne Lankinen/Bruce Coleman, Inc. 202: Adam Jones/Dembinsky Photo Assoc. 203: David Mager. 205: Rick Poley/Visuals Unlimited. 206: inset, Dwight R. Kuhn/Dwight Kuhn; b. John Hyde/Bruce Coleman, Inc. 207: David Mager. 208: Pat Anderson/Visuals Unlimited. 209: David Mager. 213: Adam Jones/ Dembinsky Photo Assoc. 214: b.l. Raymond K. Gehman; t. Chris Johns/National Geographic. 215: t. Tony Freeman/PhotoEdit; b. Jeff Greenberg/The Image Works. p. 217: bkgrd, Eunice Harris/Photo Researchers; inset, Larry West/FPG. 218: Marianne Dube. 219: David Mager. 220: b. Dwight R. Kuhn/Dwight Kuhn; t. John Shaw/Bruce Coleman, Inc.; 221: t. Dwight R. Kuhn/Dwight Kuhn; b. Joe McDonald/Bruce Coleman, Inc. 222: S. Nielsen/Bruce Coleman, Inc. 224: Jane Burton/Bruce Coleman, Inc. 225: David Mager. 229: Gary Meszaros/Bruce Coleman, Inc. 230: Skip Moody/Dembinsky Photo Assoc. 231: David Mager. 232: Joe McDonald/Bruce Coleman, Inc. 233: Larry Mishkar/ Dembinsky Photo Assoc. 234: b. Joe McDonald/Visuals Unlimited; t. Skip Moody/ Dembinsky Photo Assoc. 235: Adam Jones/Dembinsky Photo Assoc. 236: inset, Brian Stablyk/Tony Stone Images; bkgrd. David Muench/Tony Stone Images. 237: inset, b. Daniel J. Cox/Tony Stone Images; bkgrd. Frans Lanting/Tony Stone Images; inset, t. K. Schafer & M. Hill/Tony Stone Images. 239: Jim Battles/Dembinsky Photo Assoc.

Unit 6: 241: inset, David Mager; bkgrd, Photo Disc. 242: Chuck Savage/The Stock Market. 243: David Mager. 244: inset, David Mager; l. Myrleen Ferguson/PhotoEdit. 245: r. Charles Gupton/The Stock Market; l. David Mager. 246: Volkmar Wentzel. 247: David Mager. 248: t.l. Paul Barton/The Stock Market; t.r. Eastcott/Momatiuk Woodfin Camp & Assoc.; b. Ronnie Kaufman/The Stock Market. 249: b.r. J. Pinderhughes/The Stock Market; t.l. Myrleen Cate/PhotoEdit. 250–251: Robert Pearcy/Animals Animals; Brian Kenney. p. 253: Arthur Tilley/FPG. 254: r. David Young-Wolff/PhotoEdit; l. Mark M. Lawrence/The Stock Market. 255: David Mager. 256: t. Craig Hammell/The Stock Market; b. Paul Steel/The Stock Market. 258–259: David Mager. 260: Kim Barth/The Chronicle Telegram. 261: r. David Mager; l. Tony Freeman/PhotoEdit. 262: David Mager. 263: David Mager. 264: David Mager. 265: David Mager. 266: David Mager. 267: Jim Whitmer/FPG. 268: PhotoDisc. 269: m. Bachmann/Photo Researchers, Inc.; b. Brownie Harris/The Stock Market; t. Gerald & Buff Corsi/Visuals Unlimited. 271: Dennis Potokar/Photo Researchers, Inc.

Handbook: David Mager: pp. R4, R5, R15

State Specific Credits: TX2: b. Michael Waine/The Stock Market; t. Franklin J. Viola. TX3: b. Franklin J. Viola. TX4: t.r. & b. Franklin J. Viola. TX6: b.l. Bob Daemmrich. TX7: t. Larry Blank/Visuals Unlimited; b. Glenn Oliver/Visuals Unlimited. TX8: b. A & J Verkaik/Skyart/The Stock Market; Reuters/Adrees A Latif/Archive Photos. TX10: b. Science/Visuals Unlimited. TX11: t. Jeff Greenberg/Photo Edit. TX12: t.r. Contact Press Images/PNI; b. Roger Ressmeyer/Corbis. TX14: b. Franklin J. Viola. TX15: t.r. & b. Franklin J. Viola.